Guía para padres sobre estudios en el extranjero

por

Stacie Nevadomski Berdan

William L. Gertz

Allan E. Goodman

Nueva York

Para adquirir las publicaciones del IIE, visite: www.iie.org/publications

The Institute of International Education
809 United Nations Plaza, New York, NY 10017

Traducido de Inglés por Geneva Worldwide, Inc.

Jefe de redacción: Jon Grosh
Diseño: Pat Scully Design
Concepto de portada: HDN Studios, Inc.

Guía para padres sobre estudios en el extranjero

Presentaciones

por Stacie Nevadomski Berdan

Como padres, todos queremos lo mejor para nuestros hijos. Sin embargo, no siempre resulta claro qué es "lo mejor". En el mundo interconectado de hoy en día, uno de los mejores regalos que podemos dar a nuestros hijos consiste en ayudarlos a formar una visión global que les brinde todo lo necesario para desarrollarse con éxito en un mercado global tan competitivo como el nuestro. ¿Qué implica esto en realidad?

Implica estimular la curiosidad de nuestros hijos por el mundo y hacer que adquieran conciencia global. Debemos enseñarles a comunicarse e interactuar con personas de otras culturas y de otros países para que puedan comenzar a entender distintos puntos de vista. Debemos hacer todo lo que esté a nuestro alcance para que empiecen a aprender un segundo idioma lo antes posible. Luego, podremos brindarles la mejor oportunidad para que adquieran fluidez en el idioma y competencia cultural.

Estudiar en el extranjero constituye una forma de lograr todos esos objetivos.

Como padres, ejercemos una enorme influencia en la manera en que nuestros hijos ven el mundo, e incluso en la posibilidad de que siquiera consideren la opción de estudiar en otro país. Por lo tanto, debemos hacer todo lo posible para alentarlos a estudiar en el extranjero.

Estudiar en otro país perfecciona el aprendizaje global, debido a que exige a nuestro hijo salir de la zona de confort. Asimismo, lo incentiva a vivir experiencias en contacto directo con una cultura y un sistema educativo diferentes. Como resultado, estudiar en el extranjero nos enseña nuevas formas de pensar acerca del mundo. Gracias a esta experiencia, nuestros hijos aprenden a resolver problemas en contextos interculturales, y también desarrollan un conjunto de habilidades de pensamiento crítico. Además, estudiar en el extranjero es una de las mejores formas de que nuestros hijos ganen experiencia a nivel internacional, lo que constituye un componente cada vez más importante para el currículum de un graduado universitario.

Dado que no todos los estudios en el extranjero son iguales, resulta imperativo que los padres participen de forma activa en el proceso. No obstante, muchos padres no saben por dónde comenzar. Para aquellos que sí sepan, es posible que ignoren cómo brindar el apoyo justo y necesario durante la búsqueda que su hijo emprenda para dar con el programa más accesible y adecuado a sus objetivos académicos. Por tal motivo, escribimos esta guía específica para padres. Aquí encontrará la información más importante para estar bien informado y brindar el mejor asesoramiento posible a sus hijos a medida que ellos transiten la experiencia de estudiar en el extranjero.

Stacie Nevadomski Berdan
Escritora, oradora, consultora global y madre

por William L. Gertz

Tal como les habrá ocurrido a algunos de ustedes, la primera vez que viajé al extranjero, hace muchos años, no había nada para desconectar.

Llevaba conmigo una mochila, cuatro libros de frases (en alemán, francés, italiano y español), una navaja de bolsillo, algo de ropa y mi armónica. Como no se habían inventado los cajeros automáticos, cobraba cheques de viajero en casas de cambio. Tampoco existía la comodidad que ofrecen los teléfonos celulares, por lo que sobra decir que jamás llamé a casa. Ni siquiera existía el correo electrónico, de modo que recogía las cartas en la oficina de American Express de París. Gracias al Rail Pass, recorrí 12 países.

Este viaje, que duró tres meses, dio a mi vida un giro de trescientos sesenta grados: me fui siendo un niño, y regresé como un hombre seguro de mí mismo y "de mundo". Cuando volví a Estados Unidos, comencé mi carrera en el ámbito de la educación internacional, la cual se convirtió en mi profesión.

Cuando mi hija viajó al extranjero en tercer año, yo estaba muy entusiasmado. Quería que viviera "mi" experiencia (primer error). Hoy en día la vida es distinta, y es imposible desconectarse. Mientras mi hija estudiaba en Florencia, pasé muchísimo tiempo hablando con ella por Skype o comunicándome por Facebook. Siempre estábamos conectados, y si bien esto nos reconfortaba a ambos, quizás entorpecía la libertad que ella necesitaba: la libertad de espíritu, la libertad para explorar, y la posibilidad de experimentar que tuve yo, mediante ensayo y error. Aún así, regresó a casa más segura y convertida en una mujercita más plena.

Su programa de estudios en el extranjero estaba organizado de manera impecable hasta el último detalle, ideal para la generación del milenio, y disponía de mucha contención. Los días estaban repletos de itinerarios detallados, lo que incluía excursiones de aprendizaje; los viajes de voluntariado y los cursos de idiomas eran todo lo contrario de mis días de mochilero, cuando iba de hostal en hostal, descubriendo todo por mí mismo. Es probable que, al viajar en avión durante los fines de semana, mi hija no haya tenido tantas aventuras como las que viví yo en tren. Sin embargo, tuve que recordar que esta era su experiencia, no la mía.

En definitiva, el mejor consejo que les puedo dar es que dejen respirar a sus hijos. No los llamen demasiado, no resuelvan todos sus problemas; dejen que cometan sus propios errores, para que puedan encontrar su propio camino.

Como dice la canción: "Si amas a alguien, déjalo libre".

William L. Gertz
Presidente y director ejecutivo:
American Institute For Foreign Study (AIFS)

por Allan E. Goodman

La presentación de Bill Gertz debería ser de lectura obligatoria para cualquier padre que desee que parte de la educación de su hijo sea en el extranjero. El texto de Bill resalta la importancia que tiene el rol de los padres y cómo podemos cumplirlo de la mejor forma posible: hay que tener un plan y dejar que los estudiantes lo sigan sin brindar demasiada contención ni cuestionarlos, porque existen muchas formas de estudiar en otro país y de aprender de la experiencia.

Además, desde nuestro lugar de padres, brindarles la posibilidad de estudiar en el extranjero puede llegar a ser el ingrediente más importante que aportemos para el futuro de nuestros hijos mientras están en la universidad. El hecho de vivir solo en un país extranjero permite desarrollar gran parte de las habilidades y cualidades emocionales necesarias para triunfar en el seno de una fuerza laboral intercultural y en el mercado global.

Gran parte de los estadounidenses aún no tiene esa oportunidad. En la actualidad, la mayoría de los estudiantes universitarios de EE. UU. cursa sus estudios a una distancia de 100 millas o menos de su vivienda permanente, y solo el 10 % estudia en el extranjero. Por esta razón, el Instituto lanzó la iniciativa Generation Study Abroad (Generación que estudia en el extranjero), con el objetivo de duplicar esa proporción para fines de esta década.

Cuando la anunciamos, uno de nuestros administradores advirtió que no llegaríamos a ningún lado si no involucrábamos también a los padres para que pudieran comprender la importancia que tiene la educación en el extranjero y el modo en que pueden proporcionar apoyo. Esta guía surgió con ese objetivo en mente.

Hoy en día, para llevar a cabo diversas actividades relacionadas con la educación, es necesaria la participación de mucha gente. Los padres forman parte de todo lo que mejora la educación de cada comunidad, y esto es así prácticamente en todos los niveles. No obstante, puede que esta sea la primera vez que reconocemos la importancia de su función en un proyecto de estudios en el extranjero. Con esa idea en mente, redactamos este nuevo libro, teniendo en cuenta, en particular, cuáles son las herramientas que podrán resultar más útiles a un padre o familiar cercano que quisiera ayudar y brindar un mejor apoyo a un estudiante de preparatoria o universidad a la hora de planificar su experiencia educativa en otro país. Esperamos que toda la información les resulte muy útil.

Allan E. Goodman
Presidente y director ejecutivo
Institute of International Education

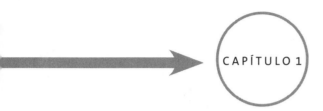

El valor de estudiar en el extranjero

Todo estudiante que aspire a triunfar en la economía global debería estudiar en el extranjero.

La globalización está en todas partes y nos afecta a todos, ya sea de una manera o de otra. Las comunicaciones y la tecnología han cambiado para siempre la forma de interactuar entre las personas, a tal punto que han eliminado las fronteras para permitir la comunicación cara a cara sin tener que salir de casa. Existen tres factores (globalización, comunicación y tecnología) que nos están desplazando, en todos los países, hacia una economía que desconoce cada vez más sus fronteras e incorpora la política, la cultura y la educación. Para que nuestros hijos puedan triunfar en el mundo interconectado, tenemos que darles la oportunidad de interactuar con otras personas más allá de nuestras fronteras.

Estudiar en el extranjero proporciona a los estudiantes diversas ventajas competitivas y una capacidad intercultural que se traduce en incontables e inmediatas oportunidades a largo plazo, tanto a nivel personal como a nivel profesional. Dicha experiencia puede tener un gran impacto en la vida de un adulto joven. De hecho, para la mayoría, estudiar en el extranjero cambió su vida. Sin embargo, solo el 10 por ciento de los cerca de 2.6 millones de estudiantes que se gradúan cada año con una diploma o licenciatura estudia en el extranjero. Esto significa que son relativamente pocos los graduados que están bien preparados para competir a escala global. Nuestros hijos dependen de nuestro apoyo e incentivo mientras se preparan para incorporarse a la fuerza laboral. Si desea que su hijo triunfe en el competitivo mercado laboral de hoy en día, no deje de ayudarlo todo lo posible para que pueda estudiar en otro país y adquirir experiencia a nivel internacional.

La experiencia de estudiar en el extranjero ha evolucionado de manera significativa a lo largo de los años. Por ejemplo, lo que antes se conocía como cursar tercer año en otro país, estudiando un idioma en un campus satélite de una ciudad europea, actualmente consiste en un abanico de ofertas destinadas a todo estudiante de grado y graduado universitario al que le interese estudiar, trabajar como voluntario o hacer una pasantía en cualquier lugar del mundo, durante el tiempo que desee. Al contar con tantas opciones, el proceso de toma de decisiones se torna más complejo.

Como padre, usted puede abogar por los estudios en el extranjero a raíz de considerarlos un componente esencial para la educación universitaria de su hijo. Es aconsejable incentivar a su hijo a que comience a pensar en estudiar en el extranjero mientras transita los estudios preparatorios. Asimismo, puede alentarlo a que considere esta alternativa a la hora de elegir una universidad. Debido a que cada programa de estudios en el extranjero es diferente, se recomienda que los estudiantes elijan una facultad o universidad que satisfaga todas sus necesidades, incluso la de estudiar en el extranjero. Además, cuanto antes comience su hijo a pensar en estudiar en otro país, más opciones podrá investigar. También será más probable que se mantenga fiel a su misión, y habrá menos posibilidades de que deje de lado sus metas a causa de la presión social que ejercen los grupos de pares en el campus. Los estudiantes tienden a pensar a corto plazo y a descartar de forma decisiva el hecho de estudiar en otro país por considerarla una opción muy costosa. A veces, deciden descartar la idea a causa de sus amigos, una relación amorosa, un deporte o sus actividades en el campus. Al hacerlo, no se dan cuenta (pero los padres sí) de que probablemente estos argumentos perderán solidez en un par de años.

No obstante, la importancia de contar con experiencia a nivel internacional como motor del éxito profesional continúa evolucionando del criterio "sería bueno" al de "es indispensable". El graduado universitario de hoy en día tiene que desarrollar una visión global para triunfar en la economía global. La experiencia de estudiar en el extranjero desempeña una función fundamental en el desarrollo de esa visión, ya que despierta la conciencia respecto de nuevas formas de pensar acerca del mundo, infunde una actitud más informada para resolver problemas en contextos interculturales, respalda el pensamiento crítico a la hora de considerar diversos puntos de vista, y colabora en la reflexión y la resolución de problemas de manera abierta y creativa.

Además, estudiar en otro país permite a los estudiantes de la actualidad, que son los futuros líderes provenientes de todos los orígenes en todos los sectores, adquirir las experiencias internacionales necesarias para poner en práctica el aprendizaje global. Aprender a interactuar con personas de otros países y culturas, incluso con las que residen en Estados Unidos, será imprescindible para cualquier carrera, ya sea esta de negocios, fabricación, ingeniería, gobierno, educación, o una actividad sin fines de lucro.

Estudiar en el extranjero puede ayudar al estudiante a realizar lo siguiente:

- Desarrollar la visión global que necesita para sopesar los desafíos locales e internacionales.

- Entender las distintas culturas y resolver problemas actuando en un entorno ajeno.

- Adquirir conciencia de otros puntos de vista y formas de pensar acerca del mundo.

- Mejorar la fluidez en otro idioma y su uso en la práctica.

- Fortalecer sus habilidades de adaptación, comunicación y su espíritu de trabajo en equipo.

- Aumentar su seguridad, responsabilidad personal y autonomía.

- Optimizar sus oportunidades profesionales.

ESTUDIAR EN EL EXTRANJERO MEJORA EL DESEMPEÑO ACADÉMICO Y LOS ÍNDICES DE GRADUACIÓN

Durante el año 2000, en las 35 instituciones que conforman el sistema universitario de Georgia, se llevó a cabo un ambicioso esfuerzo para documentar los resultados académicos de estudiar en otro país. Los datos abarcaban a 283,000 estudiantes en 425 programas de estudios en el extranjero de todo tipo (intercambio/inmersión, dirigidos por docentes, de corta duración, etc.), tanto en universidades de investigación, como en facultades con planes de dos y cuatro años. Diez años después, se llegó a la conclusión de que los alumnos que habían estudiado en el extranjero

- habían mejorado su desempeño académico al regresar al campus de origen;

- mostraban mayores índices de graduación;

- habían adquirido más conocimientos del contexto y las prácticas culturales en comparación con los estudiantes de grupos de control, y

- habían mejorado su desempeño académico en los casos en que antes se los identificaba como "en riesgo".

Los efectos fueron los mismos en todos los subgrupos de género, ingresos, raza, y puntajes del SAT.

Documentación del impacto académico de estudiar en el extranjero: Informe definitivo del Proyecto GLOSSARI, por Richard C. Sutton y Donald L. Rubin, 2010.

¿Qué valor aporta contar con estudios en el extranjero para las empresas?

Es probable que a los graduados universitarios del día de mañana les toque trabajar con gente procedente de lugares tan lejanos como Pekín y Bangalore, y también con personas de Boston o Boise. En todos los sectores, las empresas buscan, cada vez más, a trabajadores que cuenten tanto con habilidades técnicas y disciplinarias, como con competencias lingüísticas e interculturales. Aquellos que estén mejor preparados para sortear las nuevas realidades del mercado laboral tendrán más probabilidades de conseguir el puesto antes que los demás, y luego, ser exitosos. Si su hijo está pensando en seguir una carrera relacionada con los negocios internacionales, la investigación o la diplomacia, es indispensable que cuente con experiencia global. Más allá del área que elija, su hijo se beneficiará mediante el desarrollo de habilidades básicas, sobre todo, las que hacen a la comunicación, capacidad de análisis, competencia intercultural y flexibilidad. Esas habilidades constituyen los beneficios clave de estudiar en otro país.

Durante la investigación que emprendimos para redactar la *Guía del estudiante para estudiar en el extranjero*, consultamos a docenas de profesionales que trabajan en empresas multinacionales y organizaciones globales acerca del valor de contar con estudios en el extranjero. La gran mayoría respondió que, si se presentaran dos postulantes con antecedentes similares, contratarían a aquel que haya estudiado en el extranjero. Para explicar por qué, mencionaron los siguientes atributos:

- conciencia intercultural, que es fundamental para trabajar en equipos diversos;
- capacidad para aportar habilidades de pensamiento global en cuestiones complejas;
- habilidades lingüísticas necesarias en un mundo plurilingüe, y
- predisposición para la movilidad global y experiencia en ella.

Si bien estudiar en cualquier país extranjero podía ser suficiente hace una década, actualmente, el lugar que elija su hijo para ir a estudiar adquiere cada vez más importancia a la hora de destacarse ante las empresas. Dejar de lado a los países tradicionales de Europa occidental para inclinarse por China, Brasil, los Emiratos Árabes Unidos o la India puede ser un indicio de un mejor conocimiento de la creciente economía global, a la vez que ayuda a los adultos jóvenes a generar un enlace directo con los lugares hacia los que se están expandiendo las empresas en la actualidad. A pesar de que todos los países brindan experiencias de aprendizaje valiosas e interesantes para el mercado, los destinos no tradicionales suelen plantear mayores desafíos para los jóvenes estadounidenses, lo que puede intensificar la curva de aprendizaje.

De todas formas, cabe señalar que el hecho de que su hijo estudie en el extranjero no significa que los posibles empleadores se fijarán solamente en la experiencia internacional y lo contratarán sin tener en cuenta otros antecedentes. La experiencia en el exterior suele desencadenar toda una serie de preguntas durante el proceso de entrevistas. Por lo tanto, su hijo debe estar preparado para hablar del valor que representa haber estudiado en otro país. Las organizaciones querrán saber qué fue a hacer allí, qué aprendió, y cómo puede incorporar esa experiencia internacional a su tarea. Para aprovechar al máximo la experiencia fuera del país, su hijo debe sumergirse todo lo posible en la cultura local. Si hace amigos de ese país, vive en una casa de familia, y experimenta cómo es vivir y estudiar en un entorno totalmente nuevo, logrará adquirir una visión diferente de la enseñanza, el aprendizaje, los trabajos y la tarea. Trabajar en estas diferencias y, por supuesto, aprender de los errores, preparará a su hijo para desempeñarse con colegas, supervisores y clientes de diversos orígenes.

Después de estudiar en el extranjero, la mayoría de los estudiantes jamás vuelve a contemplar su educación de la misma forma. Regresan a casa con un fortalecido interés en los logros académicos, y una pasión renovada por aprender. Estudiar en el extranjero dota al estudiante de habilidades prácticas relacionadas con la vida real que ningún salón de clases puede igualar.

CAPÍTULO 2

Investigar las opciones

Estudiar en otro país puede ser una de las experiencias más emocionantes de la etapa universitaria de su hijo, pero también constituye una empresa seria. La decisión de estudiar en otro país representa un desafío personal para el estudiante. En primer lugar, tendrá un impacto en sus estudios. En segundo lugar, cuesta dinero. En definitiva, se trata de una decisión muy importante. Como padres, podemos ayudar a que, durante el primer año de facultad (o mejor aún, durante la secundaria), nuestros hijos comiencen a pensar en estudiar en otro país. Esto hará que cuenten con el mayor tiempo posible para evaluar los pros y los contras, investigar las mejores opciones, y completar el proceso de solicitud que suele finalizar meses antes de la partida. El proceso lleva bastante tiempo, y hay mucha información que usted y su hijo deben tener en cuenta.

Si bien es probable que haya una oficina de estudios en el extranjero en el campus, nadie tiene todas las respuestas. La realidad es que hay muchos programas de estudios en el extranjero diferentes, de modo que es imposible que una misma oficina esté familiarizada con todos, y mucho menos que los conozca en detalle. Aliente a su hijo a que comience por informarse allí, y ofrézcale participar en el proceso para ayudarlo a elegir las mejores opciones.

Dicho esto, su grado de participación como padre dependerá de su hijo. Puede que usted quiera estar y guiarlo en todas y cada una de las etapas, pero no es lo recomendable. Es mejor hacerse a un lado y dejar que descubra la manera de resolver las cosas y hacerse cargo. Piense que se trata de una oportunidad para que su hijo se independice y se sienta más seguro de sí mismo. De hecho, su hijo necesitará contar con estas habilidades para cuando viaje a otro país sin usted. Por el contrario, es posible que usted sienta que no sabe cómo colaborar, entonces prefiera retirarse por completo del proceso. Esto tampoco es lo más recomendable, ya que su hijo necesitará que usted, el adulto con experiencia, lo ayude. Deje que su hijo asuma la responsabilidad antes y durante su estadía en el exterior, pero asegúrese de que sepa que usted está allí para apoyarlo y que hay decisiones clave en las que usted tiene que participar.

Fijar las pautas

Como padre, usted influye mucho en la visión que su hijo tiene del mundo, y en cierta medida, en que siquiera considere la posibilidad de estudiar en otro país. Independientemente de cuál sea su postura frente al proceso de ganar experiencia internacional (si es un viejo trotamundos o alguien que jamás salió del país), lo mejor que puede hacer es brindar apoyo y estar informado, incluso si es su hijo quien estará a cargo de todo. Usted podría tener sus reservas en cuanto al viaje de estudios en el extranjero. Eso es normal. Sin embargo, no deje de tomarse el tiempo para investigar, reunir información y conversar con su hijo sobre las diversas implicancias de estudiar en otro país. Esto demuestra que usted está dispuesto a brindar apoyo, aunque necesita más información. Por un lado, usted puede ser la persona que más fomente el hecho de que su hijo estudie en el extranjero. Es decir, puede ser quien lo prepare para lidiar con los miedos que pudiera sentir y con las reacciones de amigos, familiares y vecinos cuando su hijo les cuente sobre su interés de estudiar en otro país. Por el contrario, también puede convertirse en el mayor obstáculo para su hijo.

Quizás le cuestionen a su hijo por qué quiere ir a estudiar al extranjero. A pesar de vivir en un país de inmigrantes, al que hoy se suele describir como una "ensalada revuelta" más que como un crisol de razas, los estadounidenses, en general, no parecen estar interesados en lo que ocurre en otros países o con otras culturas, salvo en lo que respecta a sus antepasados. En realidad, los estadounidenses no salen mucho de Estados Unidos: menos de la mitad tiene pasaporte (gran parte de ellos es personal militar), a diferencia del 75 % en el Reino Unido. Muchas personas temen viajar al extranjero; temen a lo desconocido y no se sienten cómodas ante lo extraño o foráneo. Hay quienes temen dejar a sus familiares, o les preocupa interactuar con gente de otras creencias religiosas, formas de crianza, razas o etnias. Más allá del motivo, no todo el mundo está de acuerdo con que estudiar en otro país sea un componente fundamental de la educación universitaria. Incluso muchas personas podrían tratar de disuadir a su hijo de viajar al extranjero.

Si su hijo no está del todo seguro al respecto, pregúntele por qué. Es muy probable que haya uno o más de los siguientes factores en juego:

- **Medios de comunicación:** las noticias de todos los días tienden a ocuparse de alguna catástrofe inusual que les ocurre a jóvenes que estudian en otro país, o del estado de "fiesta permanente" que adoptan algunos de ellos, en lugar de relacionar la experiencia de estudiar en el extranjero con la búsqueda de un empleo. Comparta con su hijo el dato de que hay millones de estudiantes que viajaron a otro país sin sufrir incidentes, y que los que ocurrieron, en general, podrían haberse evitado. Hable con su hijo acerca de la importancia de divertirse, pero también haga hincapié en que esta experiencia consiste en aprender, no solo en estar de fiesta y viajar. Hable con otros padres que tengan hijos que hayan viajado al extranjero para intercambiar experiencias.

- **Amigos y familiares (incluye a novios o novias):** a menudo, los que no viajan intentan disuadir a aquellos que están pensando en ir a estudiar al extranjero. Las excusas que mencionan quienes hacen este intento suelen ser el deporte, una relación amorosa y la vida social en el campus. Aliente a su hijo a que razone con usted por qué debería escuchar a quienes intentan disuadirlo. Asimismo, hablen de la gran cantidad de experiencias que podría vivir en otro país para mejorar su educación. Demuestre su apoyo cuando su hijo resalte los motivos, a fin de ir más allá de las razones para *no* ir.

- **Idioma:** no permita que el hecho de no hablar otro idioma inhiba a su hijo a tal punto que le impida viajar a un país en el que no se hable inglés. Si bien conocer otro idioma siempre ayuda, no es algo imprescindible. La curiosidad y las ganas de aprender sobre otras culturas son más importantes. De todas maneras, incentive a su hijo para que estudie el idioma local antes y después de llegar al país extranjero, aunque sea solo para pedir comida y conversar con los amigos que haga allí.

- **Miedo:** si su hijo no ha viajado fuera de Estados Unidos, puede sentir desconfianza. Usted también podría tener esa sensación. Conocer gente nueva puede generar muchas ansiedades, y tomar clases en una estructura académica distinta puede provocar incertidumbre respecto de las notas. Posiblemente, a usted le preocupe que al estar tan lejos, no pueda ayudar a su hijo en caso de que tenga algún problema. Para confrontar estas emociones, muéstrele a su hijo la importancia a corto y a largo plazo de afrontar sus miedos y vencerlos.

- **Preparación insuficiente:** contar con la preparación intercultural adecuada es un elemento fundamental. No obstante, la gran mayoría de los estudiantes no recibe esta preparación. La falta de intervención antes, durante y después del tiempo de estudio en el extranjero puede inhibir el aprendizaje intercultural de su hijo. Indíquele a su hijo que averigüe el tipo de formación que proporciona cada programa para que elija aquellos que le brinden la preparación cultural que mejor satisfaga sus necesidades. Sea perseverante y solicite información específica, en lugar de asesoramiento general.

LOS MOTIVOS INCORRECTOS PARA ESTUDIAR EN EL EXTRANJERO

Si le parece que su hijo está buscando un "escape académico" o un semestre sin estrés para pasar el tiempo sin rumbo fijo, es posible que estudiar en el extranjero no sea una buena opción. Si a su hijo solo le interesa viajar a otro país, no deje de brindarle su apoyo, pero renuncie a la parte del estudio. De este modo, el viaje será más económico, y su hijo podrá partir en la época del año que le resulte más conveniente según el cronograma escolar y el destino, ya que no todos los destinos ofrecen un programa adecuado. Sin embargo, no espere los mismos resultados. Estudiar en el extranjero brinda al estudiante la oportunidad de tomar clases que no se ofrecen en el campus de su país de origen, lo que a menudo implica comprender un segundo idioma. Además, estudiar en el extranjero representa la oportunidad de combinar el estudio de un área en particular con experiencias de la vida real. Viajar con objetivos académicos permite estudiar con jóvenes del país anfitrión y con un grupo diverso de estudiantes procedentes de todo el mundo. Aquellos que estudian en el extranjero tienen que desenvolverse en un entorno de aprendizaje, no solo en las situaciones que suele vivir el viajero tradicional. Por lo tanto, un viaje de estudios en el extranjero conlleva desafíos y recompensas a una escala totalmente distinta.

Los tipos más comunes de programas de estudios en el extranjero

Más allá de la magnitud de la casa de estudios, o de la cantidad de estudiantes que esta envía al extranjero cada año, el menú de programas de estudios en el extranjero no puede incluir la mejor opción para cada alumno en particular. Por tal motivo, las instituciones han desarrollado una variedad de tipos de programas y sociedades. A fin de optar por uno de la manera más informada posible, es importante conocer las diferencias entre ellos. La oficina de estudios en el extranjero le dará a su hijo información sobre los tipos más comunes de programas, y cada uno de ellos presentará sus pros y sus contras:

1. **Universidad patrocinada:** la facultad o universidad cuenta con sus propias instalaciones en el extranjero, o envía a sus propios docentes al exterior para impartir enseñanza a los alumnos que estudia en ese país. Las principales ventajas de estos programas son las siguientes: existe un nivel de instrucción estandarizado (los estudiantes están familiarizados con esto de antemano), los créditos otorgados se pueden transferir, y es más probable que conozcan a los demás participantes. Las desventajas son las siguientes: los profesores suelen provenir del campus del país de origen del programa (tienen menos perspectivas internacionales), y hay menos oportunidades de conocer a estudiantes de otros países.

2. **Asociación:** la facultad o universidad trabaja junto con otras instituciones académicas para conformar, de manera colaborativa, un único programa al que acceden todos los socios. Esto hace que los estudiantes cuenten con una gama mucho más amplia de programas aprobados para elegir. Sin embargo, como cada institución lleva a cabo el proceso de manera distinta, la participación de los estudiantes puede ser un proceso fluido o complejo, costoso o económico, según cada caso en particular.

3. **Inscripción directa:** los estudiantes se inscriben directamente en una institución internacional, toman los cursos que esta ofrece, y ellos mismos se ocupan de organizar el viaje. Esto lo pueden hacer con el patrocinio de su universidad o por su cuenta. Los beneficios más importantes de esta clase de programas son la flexibilidad y la autonomía que conllevan, así como también una reducción en los costos. No obstante, en general, esto se traduce en un mayor nivel de compromiso por parte del alumno, quien debe invertir más tiempo personal en el proceso (por lo menos, un semestre completo, y a menudo, todo un año), además de dedicarse a investigar y prepararse antes de partir.

4. **Organizaciones de estudios en el extranjero:** una organización externa, tales como American Institute For Foreign Study (AIFS), Council on International Educational Exchange (CIEE, Consejo de Intercambios Educativos Internacionales), e IES Abroad, se encarga de casi todo el proceso, lo que incluye enviar la solicitud, ocuparse de los detalles del viaje, y organizar el hospedaje y las excursiones. Esto se puede hacer con el patrocinio de una universidad o de manera independiente. Estas organizaciones, a veces denominadas proveedores externos, se especializan en estudios en el extranjero, y aquellas que están bien establecidas suelen trabajar con mucho profesionalismo y estar preparadas para resolver cualquier posible inconveniente. Se trata de una opción atractiva para aquellos estudiantes que no tienen mucha experiencia viajando fuera del país, y para padres propensos a preocuparse.

5. **Intercambio:** un estudiante de intercambio es aquel que cambia su lugar con otro estudiante de una universidad extranjera. La organización del intercambio está a cargo de ambos campus universitarios. Dado que, por lo general, hay una cantidad determinada de participantes y un número limitado de campus de intercambio, los programas tienden a ser muy competitivos. Sin embargo, suele ser una de las opciones más económicas. Desafortunadamente, no todas las facultades ofrecen programas de intercambio.

Después de conversar sobre una variedad de opciones posibles con un asesor de estudios en el extranjero, es probable que su hijo cuente con mucha información sobre varios programas diferentes. Sería un buen momento para hablar con su hijo acerca de sus objetivos académicos, así como de la medida en que cada uno de los programas podría contribuir a ellos.

Actúe como una caja de resonancia mientras su hijo analiza las opciones

Si consulta a cualquiera que haya estudiado en otro país, le dirán que esa oportunidad les cambió la vida, y que fue una de las experiencias más gratificantes que tuvieron. Ahora bien, pregúnteles a las mismas personas por qué decidieron viajar, y las respuestas serán mucho más diversas. Independientemente de los motivos para estudiar en el extranjero, a la hora de partir, su hijo tiene que estar listo y abierto al aprendizaje a nivel internacional. Para aprovechar al máximo la experiencia, su hijo debe concentrarse en el aspecto académico del programa, no solo en "viajar a otro país". Defina junto con su hijo un proceso para tomar las decisiones necesarias haciéndole estas preguntas:

1.   **¿Qué deseas estudiar cuando estés en el extranjero?** Algunos jóvenes prefieren abocarse a un área de estudio principal en particular, otros a una lengua materna, y otros a cumplir con los requisitos de diversificación de un modo creativo. Por supuesto, se pueden combinar varias metas. Algunos estudiantes realizan investigaciones en el sitio o participan en alguna pasantía o actividad de aprendizaje de un servicio determinado.

2.   **¿En qué medida es importante ganar créditos?** A la luz del considerable desembolso de dinero que suele representar estudiar en el extranjero, la gran mayoría de los estudiantes desea recibir todos los créditos académicos que pueda a cambio del tiempo y esfuerzo dedicados. Sin embargo, no todos necesitan recibir el equivalente a un período o semestre completo. Por eso, determine la cantidad mínima de créditos necesarios para graduarse sin inconvenientes, o si la experiencia es más importante que una gran cantidad de créditos.

3.   **¿Dónde deseas estudiar y por qué?** ¿Hay algún país o región en particular que le interese a su hijo? ¿Quizás alguno al que le gustaría volver para trabajar o vivir después de graduarse? ¿Su hijo quiere aprender algún idioma en particular? ¿Existe alguna parte del mundo por la cual su hijo sienta tanta curiosidad que casi no puede esperar para ir a explorar? Las respuestas a estas preguntas pueden reducir, de manera eficaz, la búsqueda del programa adecuado.

4.   **¿Dónde y con quién quieres vivir?** ¿En una casa de familia? ¿En un departamento? ¿En una residencia con otros estudiantes? En ese caso, ¿te gustaría vivir con jóvenes estadounidenses, con estudiantes de cualquier parte del mundo, o con estudiantes del lugar?

5.   **¿Cuánto tiempo te gustaría pasar en el extranjero?** Las opciones suelen abarcar de dos semanas a todo el año académico. Quizás durante el período de enero o mayo, o lo que dure un programa de verano. Recuerde que mientras más tiempo permanezca su hijo en el extranjero, mayor será la experiencia de aprendizaje que tenga.

6. **¿Qué función cumple el hecho de aprender un idioma?** Para estudiar en un país determinado, su hijo no tiene la necesidad de hablar el idioma local. Sin duda, el hecho de hablarlo ayuda, pero la gran mayoría de los programas está dirigida a estudiantes que hablan inglés, es decir, que pueden tomar las clases en inglés. No obstante, si su hijo domina otro idioma, los beneficios de tomar clases en esa lengua son enormes y es recomendable que los aproveche. Cualquiera sea el nivel de lengua que tenga su hijo, debería intentar aprender el idioma para poder hablar con los nativos, ya que esa experiencia de por sí constituye un beneficio cultural inmenso.

7. **¿Cuánto costará el programa?** Si bien la matrícula, las cuotas y el alojamiento representan la mayor parte de los gastos de estudiar en otro país, por lo general, hay otros gastos involucrados, los cuales el estudiante también debe planificar. Entre ellos, los más evidentes son el pasaje aéreo, los gastos de tramitación de la visa, el seguro médico internacional, las vacunas, y los gastos diarios, como la comida y el transporte local. Además, no olviden tener en cuenta los gastos adicionales, como excursiones, salidas educativas y uso de teléfono celular.

8. **¿Se puede solicitar una beca o ayuda financiera?** En la mayoría de los casos, es probable que estos beneficios sean para estudiantes que participen en algún programa aprobado por la universidad para obtener créditos. De todas maneras, pídale a su hijo que verifique esta posibilidad con la oficina de estudios en el extranjero. De lo contrario, tendrá que buscar alguna fuente alternativa de financiación.

9. **¿De qué manera el hecho de estudiar en otro país afectará los compromisos con el campus, como un trabajo, una pasantía o alguna actividad deportiva?** Si su hijo tiene un trabajo o una pasantía, deberá averiguar si le pueden dar licencia y si es posible reincorporarse una vez que esté de regreso. Si su hijo practica algún deporte, investigue la posibilidad de que continúe con el entrenamiento deportivo en el país de destino. También podría considerar participar en un programa de verano.

10. **¿Cuánta libertad deseas o necesitas obtener de esta experiencia?** Los programas de estudios en el extranjero difieren mucho en cuanto a estructura, formalidad y grado de autonomía. Recuerde que todos los aspectos de esta amplia gama de opciones tienen sus pros y sus contras, y que el solo hecho de vivir en un país extranjero ya ofrece un cierto grado de autonomía.

11. **¿Qué es lo que más quisieras lograr al realizar esta experiencia?** Pregúntele a su hijo qué es lo que más tiene ganas de aprender o experimentar. De ese modo, podrán asegurarse de que el programa de estudios en el extranjero que hayan elegido le brinde las oportunidades de cumplir sus expectativas.

12. **¿Tienes alguna necesidad en particular? ¿Será posible satisfacerla?** Habla con los representantes de la oficina de estudios en el extranjero y con exalumnos que hayan vivido experiencias similares. Adopta una postura realista frente a los desafíos y una actitud abierta a las diversas posibilidades y oportunidades. Investiga las necesidades específicas, genera redes de apoyo, y confía en tu capacidad de adaptación y flexibilidad cuando estés en el país extranjero.

Esta lista tiene por fin ayudarlo a mantener una conversación positiva con su hijo sobre la mejor experiencia que podría tener en el extranjero. Asimismo, los ayudará a ambos a recorrer todos los aspectos que hay que tener en cuenta a la hora de elegir un programa. Lo mejor que su hijo puede hacer a continuación es volver a la oficina de estudios en el extranjero del campus y compartir estos objetivos con un asesor. El asesor comenzará a buscar y alinear los principales programas más adecuados de acuerdo con los objetivos académicos de su hijo.

Alinear los objetivos académicos con un programa de estudios en el extranjero

Es posible que usted tenga una postura escéptica frente al hecho de estudiar en el extranjero, ya que, durante años, estos programas fueron criticados por ser una prolongación de las vacaciones o un período académico liviano. De hecho, algunos programas se coordinan más al estilo de unas fantásticas vacaciones, durante las cuales se trasladan grandes cantidades de estudiantes estadounidenses de un lugar a otro. Sin embargo, sucede que cada vez son menos los programas que funcionan de esta manera, salvo raras excepciones. Aun así, sigue vigente la percepción de que estudiar en otro país no es algo serio, sobre todo desde el punto de vista de los padres, profesores y amigos de la familia, que algunas veces no entienden la evolución que se ha dado en la industria de estudios en el extranjero durante las últimas décadas.

Parte del problema sea, quizás, la tendencia inicial de su hijo a centrarse en la parte de "viajar a otro país", expresión que abarca una infinidad de impresiones o fantasías románticas personales. Sin duda, algunos estudiantes ven el viaje de estudios en el extranjero como unas largas vacaciones. En ese caso, un pasaje de ida y vuelta y una mochila costarán mucho menos que un programa de estudios en el extranjero bien organizado. A pesar de todo, estudiar en el extranjero constituye un proyecto serio. Por eso, le aconsejamos que ayude a su hijo a entender que se trata de una oportunidad para estudiar, aprender y desarrollar habilidades valiosas que representarán un desafío personal, y que tendrán un impacto en su carrera a nivel académico y profesional. Estudiar en otro país es muy divertido y, como no podía ser de otra manera, emocionante. Sin embargo, para que realmente valga la pena, también debe plantear un desafío académico e intelectual. Los mejores programas deben su sólida reputación al rigor académico y el alcance intercultural que proporcionan.

No obstante, a menudo se piensa en estudiar en el extranjero como also "adicional", por lo que no se incorpora esta oportunidad al plan de estudios del estudiante universitario. A fin de que su hijo obtenga el máximo beneficio de su experiencia en otro país, aconséjele que investigue cómo puede integrar mejor la experiencia en el extranjero a su plan de estudios, para poder maximizar su aprendizaje internacional. Actualmente, muchos programas requieren que los estudiantes cuenten con preparación lingüística y académica, proyectos de investigación, exposiciones, u otros trabajos académicos exigentes. Ya se trate de un programa de tres semanas o de un año entero, su hijo debería comenzar a prepararse lo mejor posible a nivel cultural e intelectual bastante tiempo antes de salir del campus local. Asimismo, se recomienda que realice un curso sobre reincorporación y reinserción en las tareas pertinentes.

Aliente a su hijo a buscar programas de estudios en el extranjero de rigor académico que, al mismo tiempo, proporcionen una profunda inmersión cultural para enriquecer al máximo la experiencia. Por ejemplo, puede considerar las siguientes opciones:

- Cursos previos a la salida sobre historia, geografía, economía y política.

- Trabajos de investigación que exijan a los estudiantes ahondar en algún aspecto en particular de la historia o la cultura del país de destino, además de exponer sus conclusiones antes de partir y revisarlas una vez que estén de regreso.

- Inclusión del estudio en otro país como parte de un curso, a menudo sobre relaciones comerciales o internacionales, mediante la enseñanza desde la perspectiva de un grupo específico, por ejemplo, clientes, fabricantes o agencias reguladoras del gobierno.

- Estudio intensivo de un idioma, con el objetivo de alcanzar cierto nivel de fluidez antes de viajar.

- Interacción con estudiantes extranjeros en el campus del país de origen, a fin de estar mejor preparado para la interacción intercultural.

Cuando su hijo elija un programa, recibirá mucho material de la escuela, la institución en la que se haya inscrito, y del programa mismo. Debido a que habrá mucha información para asimilar, asegúrese de leer todo el material disponible para formular preguntas complementarias acerca de lo que usted y su hijo necesiten saber: plazos para la presentación de solicitudes, opciones de transporte al llegar, contenido de las clases y planes de emergencia. Es posible que algunos estudiantes no sepan qué información merece preguntas complementarias. Por eso, le recomendamos que formule preguntas que su hijo pueda hacer, a continuación, a la oficina de estudios en el extranjero o al proveedor del programa. Además, cuanto más informado esté sobre los requisitos, el funcionamiento del programa, el país anfitrión, las oportunidades y los desafíos, más seguro se sentirá y más apoyo podrá brindar a su hijo. No dude en pedir consejos a otros padres, y verifique una y otra vez la información sobre tramitación de visas, seguridad y salud en los sitios web del gobierno de EE. UU. Si bien usted podría tener sus reservas en cuanto a que su hijo viaje tan lejos para ir a estudiar, el apoyo de los padres es fundamental para que los estudiantes tengan una experiencia exitosa. ¡Aliente a su hijo a viajar, a aprender todo lo que pueda y a divertirse!

FOMENTAR EL ESTUDIO DE OTROS IDIOMAS

Uno de los beneficios más prácticos e inmediatos de estudiar en otro país consiste en la adquisición de otra lengua. Por lo tanto, aliente a su hijo a considerar aquellos programas que le den la oportunidad de estudiar otro idioma, sobre todo los que ofrezcan cursos intensivos o semiintensivos. Además del conocimiento cultural que incorporará su hijo, las habilidades lingüísticas constituyen un factor de diferenciación cada vez más importante para los gerentes encargados de contratar nuevos empleados. Aunque su hijo no tenga una excelente fluidez en la lengua extranjera, un buen conocimiento práctico de otro idioma indica una actitud receptiva y valorativa de otras culturas, lo cual representa una habilidad fundamental en el siglo XXI. Si su hijo no ha estudiado ningún idioma, incentívelo para que empiece a hacerlo en el campus, se inscriba en algún programa gratuito en línea antes de viajar, y para que sea un alumno atento en el país de destino.

A la hora de elegir un idioma, aliente a su hijo a adoptar una mentalidad abierta. Por ejemplo, los francoparlantes no están en Francia solamente; también se habla francés en Bélgica, Canadá, Costa de Marfil, Guinea, Senegal, y Suiza, entre otros lugares. Si su hijo está aprendiendo español, no cabe duda de que España es el país adecuado para ir a estudiar, pero también lo son Argentina, Chile, Costa Rica, México y Perú, por nombrar algunos. Además, estos países ofrecen el beneficio extra de ser parte de América Latina, región que adquiere cada vez mayor importancia en diversos aspectos en relación con Estados Unidos.

CAPÍTULO 3

Calcular los aspectos financieros: Modelos de costo, ayuda financiera y becas

Si bien estudiar en el extranjero no es barato, el costo no tiene por qué ser un impedimento. El costo de estudiar en otro país varía en gran medida según el tipo de programa y el lugar donde se lleve a cabo. También influyen en el costo la duración de la estadía y si la administración del programa está a cargo de una universidad o un organismo externo. No se puede negar que estudiar en un país extranjero suele ser más costoso que hacerlo en el campus del país de origen, motivo por el cual, muchos estudiantes lo consideran inaccesible. Sin embargo, es un error suponer que esto es así de antemano, o dar por sentado que la diferencia de costos es tan grande que estudiar en otro país resulta imposible. Algunos programas de estudios en el extranjero pueden costar menos que la matrícula y las cuotas que exige estudiar en un campus local, durante la misma cantidad de tiempo. Aliente a su hijo a investigar sobre opciones de ayuda financiera, becas y subsidios, y a que compare los costos relacionados con la ubicación, la duración y el tipo de programa. Cuanto antes empiece su hijo a investigar, más opciones tendrá para comparar. Cabe aclarar que resulta imperativo que su hijo comience a consultar en su propia oficina de estudios en el extranjero, y que mantenga informados a sus representantes durante el proceso, incluso si decide optar por alternativas.

Modelos de costos del programa

El costo de un programa de estudios en el extranjero es la suma de varios factores.

Primero y principal, hay que considerar el costo del programa propiamente dicho, el cual varía según dos cuestiones: el tipo (si es un programa dirigido por una universidad, un programa asociado a una universidad que se ofrece a través de una organización de estudios en el extranjero, o uno no asociado), y la duración del programa. Además, servicios tales como asistencia del personal local, programas de orientación o capacitación en idiomas, actividades sociales y excursiones también influyen en el precio del programa.

Comparar programas

Muchas facultades y universidades se comprometen a mantener la paridad de costos. Esto implica que un semestre en el extranjero cuesta exactamente lo mismo que en el campus del país de origen —al menos en lo que respecta a matrícula y alojamiento— para los programas que ofrece la universidad. Incluso algunas instituciones bajan el precio de la hora crédito para programas de estudios en el extranjero. En términos generales, estos programas dividen el costo en tres categorías: lo que el alumno paga a la universidad del país de origen, lo que el alumno paga a la institución del país anfitrión, y los costos adicionales aproximados. Es muy probable que los programas patrocinados por una universidad o los asociados a una de estas cobren la matrícula del semestre regular, una cuota por estudio en el extranjero, y un seguro médico o de viaje. Por lo tanto, la opción más económica suele ser inscribirse directamente en una universidad o facultad local, tomar los cursos que se dicten allí, y organizar el viaje por cuenta propia. Esto se puede hacer con el patrocinio de la facultad o de manera independiente, pero tenga en cuenta que exigirá mucho más tiempo y autonomía por parte de su hijo que los programas dirigidos por una universidad. Su hijo tendrá que gestionar casi todos los trámites, desde confirmar las visas de estudiante antes de partir hasta cerciorarse de que los historiales académicos se hayan enviado y aceptado al terminar.

Alojamiento y comida

El alojamiento suele ser un gasto extra que cobra la universidad que recibe al estudiante. El costo varía según el lugar donde elige hospedarse su hijo; las opciones más comunes son residencia estudiantil, departamento, hostal o casa de familia. La alternativa de casa de familia en particular puede reducir de manera sustancial el costo de vida, con el beneficio extra de que el estudiante se sumerge en un entorno familiar local.

Otros factores que inciden en los costos son los alimentos que come su hijo y el lugar donde los consume. Si prepara la comida en una residencia estudiantil, compra comida en mercados locales, y sale a comer de manera esporádica (los almuerzos suelen ser más baratos que las cenas), podrá reducir los costos.

Ubicación

La ubicación también puede marcar una gran diferencia en materia de costos. Los países de Europa occidental, como Inglaterra, Italia y España, tienden a generar más gastos que los países en vías de desarrollo, como Perú, Senegal o Tailandia. La diferencia tiene que ver con el nivel de vida general del país anfitrión, así como con el costo promedio de los insumos y servicios básicos. Su hijo debe analizar el costo de vida de los países de su preferencia, para lo cual tendrá que averiguar las estadísticas de tasas de cambio, índice de precios de consumo y costo de vida. Tres de los sitios web más útiles son **Expatistan.com**, **Numbeo.com** y **Databank.world.org**. Si a su hijo le interesa un destino popular, podrá encontrar diversas organizaciones que le ofrezcan varios tipos de programas. Por ende, los precios van a variar, a menudo, de manera significativa.

Duración de la estadía

No cabe duda de que la duración de la estadía también influye en el precio; los programas más extensos suelen costar más. Sin embargo, puede haber excepciones, en particular, cuando un estudiante se inscribe en una universidad extranjera por un año, o incluso un semestre, y paga mucho menos que la matrícula del campus de su país de origen. Además, hay estudiantes que han gastado menos a lo largo de su carrera universitaria porque tomaban más cursos en un país donde eran más económicos, lo cual, en muchos casos, les permitió graduarse en menos de cuatro años. Aquellos que siguen este camino suelen tener que retirarse de la universidad del país de origen y postularse para estudiar en otra, a fin de anular cualquier cuota y costo asociado con la primera. Esta modalidad puede ahorrarle a su hijo (y a usted) mucho dinero, aunque tiene sus riesgos. Asegúrese de corroborar que se puedan transferir todos los créditos y de que se haya reunido y fotocopiado todos los documentos oficiales, además de realizar copias de respaldo para conservarlas en un lugar seguro.

Gastos adicionales

Según el tipo de programa y el estudiante, habrá una variedad de gastos adicionales, tales como el pasaje aéreo, comidas, libros y útiles escolares, visa y pasaporte, vacunas, excursiones, traslados dentro y fuera del país, seguro internacional, y otros. Incluso antes de elegir un programa, es imperativo que su hijo sepa exactamente qué está incluido en el costo del programa y qué no. Las oficinas de estudios en el extranjero pueden brindar esta información, al igual que las oficinas de programas no asociados. De todas formas, aconséjele a su hijo que lea la letra pequeña y que pregunte por el costo de los elementos no incluidos. Es recomendable que su hijo investigue en Internet y que solicite información específica a los coordinadores del programa.

Determinar si la ayuda financiera se puede aplicar a estudios en el extranjero

Toda la ayuda financiera que su hijo ya reciba de la universidad se debe transferir al programa de estudios en el extranjero que dirija o esté asociado con esa institución, ya que la matrícula que pagará por estudiar en el exterior probablemente vaya directamente a la universidad del país de origen. Mientras que algunas instituciones también permiten al estudiante utilizar la ayuda financiera para programas no asociados, otras no. Además, el grado de ayuda dependerá del tipo de programa que elija el estudiante. No dé por sentado que cualquier ayuda que su hijo esté recibiendo de la facultad se transferirá de forma automática: pídale a su hijo que verifique que esto efectivamente ocurra en la oficina de ayuda financiera.

La ayuda financiera del gobierno se puede aplicar a cualquier programa, siempre y cuando se obtenga crédito y la institución local acepte los créditos transferidos. Solo tiene que indicarle a su hijo que complete la Solicitud Gratuita de Ayuda del Gobierno para Estudiantes (FAFSA, por sus siglas en inglés). Si su hijo ya recibe ayuda del gobierno, por lo general, no se le pedirá que vuelva a postularse. Ocurre lo mismo en el caso de la financiación estatal, que varía según la facultad, así que no deje de verificar esta información.

Becas privadas

Las normas que rigen los sistemas de becas privadas para viajes de estudios en el extranjero suelen ser diferentes. Esto quiere decir que su hijo podría o no solicitar una beca para estudiar en otro país. Aconséjele a su hijo que no dé nada por sentado, sino que, cuanto antes, confirme la situación con la persona encargada de otorgar las becas.

Averiguar sobre becas para estudiar en el extranjero

Cada año, se otorgan a estudiantes estadounidenses decenas de millones de dólares en becas para estudiar en el extranjero. Casi todas las universidades que cuentan con una oficina de estudios en el extranjero disponen de una gran cantidad de información sobre los distintos tipos de becas que ofrecen numerosas entidades. Más allá del destino de interés de su hijo, o de la carrera que quiera seguir y el tiempo de estudio que planifique destinar, aliéntelo a que, cuanto antes, incluso durante el primer año universitario, analice todas las becas y los subsidios disponibles para estudiar en el extranjero. Los estudiantes deben solicitar becas, y en algunos casos, se trata de una experiencia muy competitiva.

En general, son cinco los tipos de becas disponibles para estudiar en el extranjero:

- **Por mérito:** se otorgan en función de las habilidades académicas, artísticas, deportivas o de otro tipo del estudiante. Por lo general, se tienen en cuenta las actividades extracurriculares o el registro de servicio comunitario del postulante.

- **Por condición del alumno:** estas becas se otorgan, en primer lugar, a estudiantes que reúnen ciertos criterios demográficos, los cuales se basan, en general, en características de género, raza, religión, antecedentes familiares o situación económica. Las becas a estudiantes pertenecientes a grupos minoritarios suelen ser las más comunes.

- **Por destino:** son becas que otorga un país en particular a aquellos estudiantes que planifican seguir un programa de estudios en ese país. Se otorgan a modo de incentivo, a fin de que estudien en ese país y no en otro.

- **Por programa:** son becas que ofrece de manera particular el programa de estudio en el extranjero o la facultad o universidad que lo patrocinan a postulantes que reúnen los requisitos necesarios. Estas becas se suelen otorgar en función de los logros académicos y personales, pero los requisitos varían.

- **Por área de estudio:** son becas que los programas o instituciones para estudiar en el extranjero otorgan a los estudiantes según el título de grado o la especialidad. Por lo general, estas becas exigen que el beneficiario se inscriba en cursos de un área específica o que lleve a cabo un proyecto de investigación sobre un tema en particular durante su estadía en el extranjero.

En la mayoría de las facultades, el procedimiento de solicitud de becas para estudiar en el extranjero es sencillo y práctico: establece las sumas de dinero que se podrían otorgar, el proceso y los plazos para solicitar la beca, y todas las restricciones que pudieran aplicar. Los dos tipos de becas más comunes que se suelen otorgar son los siguientes: las generales, que brindan ayuda para estudiar en otro país, y las que se otorgan con un objetivo específico, cuyos beneficiarios son los estudiantes más desfavorecidos y de primera generación, así como los que tienen grandes necesidades de ayuda económica.

Becas de estudio y de investigación patrocinadas por el gobierno de EE. UU.

Programa Internacional de Becas Benjamin A. Gilman
Con el patrocinio de la Oficina de Asuntos Educativos y Culturales del Departamento de Estado de EE. UU., este programa otorga becas a estudiantes universitarios estadounidenses de grado, que necesitan ayuda financiera para cursar programas de intercambio internacional, lo que incluye programas de estudios en el extranjero, pasantías internacionales, y aprendizaje de servicios, con estadías que abarcan de cuatro semanas hasta un año académico de duración, para obtener créditos universitarios. Sitio web: **www.iie.org/gilman**

Studyabroadfunding.org proporciona descripciones detalladas de cientos de becas de estudio, de investigación, subsidios para estudiar en el extranjero, y pasantías con orientación profesional destinadas a estudiantes universitarios de grado, graduados y de posgrado, así como a profesionales.

Programa Fulbright U.S. para estudiantes
Establecido en 1946 por el Congreso, y con el patrocinio de la Oficina de Asuntos Educativos y Culturales del Departamento de Estado de EE. UU., el programa Fulbright apoya los intercambios educativos de un año académico de duración que contribuyan a fortalecer el entendimiento mutuo entre Estados Unidos y más de 140 países participantes. Es un programa de alianzas en el que EE. UU. y los gobiernos de otros países establecen prioridades de manera conjunta. Sitio web: **www.fulbrightonline.org**

Critical Language Scholarships: becas para el estudio de idiomas críticos en instituciones que dictan cursos intensivos de verano
El programa de becas para el estudio de idiomas críticos, Critical Language Scholarship, (CLS, por sus siglas en inglés) es un programa de la Oficina de Asuntos Educativos y Culturales del Departamento de Estado de EE. UU. que ofrece instrucción intensiva de forma grupal, así como experiencias organizadas de enriquecimiento cultural en el extranjero. El programa proporciona estadías en el exterior totalmente financiadas, de siete a diez semanas de duración, y las becas están destinadas a estudiantes universitarios estadounidenses de grado, maestría y doctorados en trece idiomas críticos, a saber: árabe, azerí, bengalí, chino, hindi, indonesio, japonés, coreano, persa, panyabí, ruso, turco y urdú. Sitio web: **www.clscholarship.org**

Premios Boren para Estudios Internacionales
Las becas de estudio y de investigación David L. Boren, patrocinadas por el Programa de Educación sobre la Seguridad Nacional, financian a estudiantes universitarios de grado y graduados de EE. UU. para estudiar en regiones del mundo que resultan críticas para los intereses de EE. UU. y que cuentan con menor representación en los programas de estudios en el extranjero. Las becas de estudio y de investigación Boren representan una variedad de formaciones académicas, pero todas se enfocan en el estudio de aquellos idiomas que se enseñan con menor frecuencia. Los premios Boren promueven la inmersión lingüística y cultural a largo plazo, de modo que la mayoría de los beneficiarios cursa estudios en el extranjero durante un mínimo de seis meses. A cambio de la ayuda económica que reciben, los beneficiarios se comprometen a buscarse un empleo en el gobierno federal. Sitio web: **www.borenawards.org**

Financiación que otorgan organizaciones privadas
Existen fundaciones y otros organismos que apoyan los estudios y la investigación en el extranjero mediante diversas opciones de financiación. Algunos ejemplos son los siguientes:

- Becas del AIFS
- Becas y subsidios del CIEE
- Becas de la Fundación Rotary
- Programa Internacional de Becarios Whitaker

Becas que ofrecen gobiernos u organizaciones extranjeros
Los gobiernos y organizaciones privadas de otros países también pueden financiar el programa de estudios en el extranjero de su hijo. Algunos ejemplos son los siguientes:

- Servicio Alemán de Intercambio Académico (DAAD, por sus siglas en alemán)
- Programa de Becas del Gobierno Chino
- Subsidios para viajar Benjamin Franklin de la Embajada de Francia
- Fundación de Colaboración entre EE. UU. y Japón

FINANCIACIÓN COLECTIVA

Durante décadas, los estudiantes han recaudado fondos para distintas causas. En la actualidad, gracias a las redes sociales, dejaron de lavar autos y de ir de puerta en puerta vendiendo caramelos para introducirse en una red global de posibles recursos a través de la financiación colectiva. Los estudiantes eligen un sitio de financiación colectiva y publican un anuncio que incluya datos como el programa, las fechas y el destino de los fondos que se recauden (pasaje aéreo, costo del curso o gastos de tramitación de la visa). A continuación, agregan una foto o video, y difunden el enlace entre familiares y amigos. Los sitios más populares son Kickstarter, IndieGoGo, y Fund My Travel.

Formas de ahorrar dinero en el país anfitrión

Si bien los costos del programa son fijos, existen muchas formas de ahorrar en el lugar, según la ubicación en la que estudie su hijo:

- Abrir una cuenta en un banco local.
- Comprar una tarjeta SIM local o, de ser posible, un teléfono local barato.
- Solicitar descuentos para estudiantes.
- Buscar ofertas, regatear y negociar.
- Usar Skype u otro servicio en línea gratuito para comunicarse con la familia.
- Vivir como un nativo.
- Usar el transporte con inteligencia; trasladarse mayormente en bicicleta o a pie.
- Ser un viajero ahorrativo.
- Fijar un presupuesto y llevar el control de los gastos.

Escuchar a los que saben

Como padre, es aconsejable que hable con otros padres de hijos que hayan viajado al extranjero, y que aliente a su hijo a que haga lo mismo con sus compañeros del campus. Una persona que haya estado hace poco en el mismo lugar podrá contarle cuánto cuestan realmente las cosas y cuánto gastó, más allá del precio promedio del programa. Los consejos específicos sobre el país que visitará su hijo o acerca de la moneda que tendrá que usar serán de suma utilidad. De todas maneras, no acepte todo lo que le cuenten. Cada experiencia personal es diferente, por lo que es posible que haya consejos que no se apliquen a su hijo.

Estudiar en el extranjero puede ser accesible. Gran parte de los costos estarán definidos antes de que su hijo viaje, pero aun así existen muchas formas de ahorrar dinero en el país anfitrión. Para ello, es fundamental investigar y trabajar con la oficina de estudios en el extranjero para que todo salga bien. Organizar la información y elegir un programa eficaz en función de los costos están en manos de su hijo. En cualquier caso, se trata de una excelente inversión en el futuro de su hijo.

CAPÍTULO 4

Mantenerse seguro y saludable fuera del país

Si bien los beneficios de estudiar en el extranjero son enormes, la idea de que un hijo viva en otro país puede poner nerviosos incluso a los padres más tranquilos. No se preocupe: las probabilidades de que su hijo curse sus estudios en el extranjero de manera segura y sin incidentes están a su favor, independientemente del lugar de destino. De hecho, la mayoría de los estudiantes dicen sentirse más seguros en otro país que en Estados Unidos.

Aun así, viajar, estudiar y vivir en otro país conllevan una serie de riesgos inherentes, por lo que es necesario que su hijo esté preparado. Es importante recordar que las malas personas están en todas partes, de modo que no existe el destino cien por ciento seguro, ya sea en otro país o dentro de Estados Unidos. Mientras que algunos delincuentes acechan a los turistas y estudiantes en particular, la gran mayoría de los problemas que tienen los estudiantes en el exterior son menores (robos comunes o enfermedades leves) o provocados por ellos mismos (beber en exceso o crisis económica a causa de una mala administración del dinero). Incluso si a su hijo no le preocupan en lo más mínimo los riesgos inherentes, debe tomar los recaudos necesarios para velar por su integridad personal. El sentido común y el buen criterio son los mejores aliados para mantenerse seguro en cualquier lugar del mundo. Por eso, una de las cosas más importantes que puede hacer por su hijo consiste en asegurarse de que sea lo suficientemente maduro para estudiar en el extranjero, y que tome la experiencia con seriedad.

Investigar los riesgos

El crimen no conoce fronteras: ocurre en todo el mundo. Cualquier lugar puede ser azotado por una catástrofe natural, y en los países más pobres, sus efectos pueden exacerbarse a raíz de una infraestructura poco adecuada. Si el malestar político estalla, puede apartar de repente a los estudiantes de los familiares y amigos que lo esperan en casa. Si bien usted podría no estar de acuerdo con que su hijo estudie en un lugar que se perciba o se haya identificado como peligroso o insalubre, es importante verificar toda la información disponible. Por ejemplo, aunque las estadísticas de delitos y enfermedades casi siempre se difunden entre la población en general, el pequeño grupo de turistas o estudiantes extranjeros que integrará su hijo no llega a conocerlas. Algunas de las mejores fuentes para encontrar información útil y confiable son las siguientes:

- El Departamento de Estado de EE. UU.: el sitio web de este organismo emite advertencias para el viajero que corresponden específicamente a cada país. Además, brinda información actualizada sobre problemas de salud y seguridad, en especial con respecto a aquellos países en los que se exige tomar precauciones adicionales. Asimismo, el sitio ofrece consejos de seguridad para viajeros en forma de una lista completa con medidas a tomar antes de la salida y durante el viaje.

- Los Centros para el Control y la Prevención de Enfermedades (CDC, por sus siglas en inglés): el sitio web de los CDC proporciona información detallada acerca de cómo mantenerse saludable durante un viaje. Dicha información abarca listados de vacunas obligatorias y otras recomendaciones de salud, así como consejos sobre seguridad de los alimentos y el agua, y brotes de enfermedades confirmados.

- Las guías para el viajero, los libros y los sitios web dedicados a las personas que viven en el extranjero proporcionan información muy valiosa en cuanto a salud y seguridad, no solo en relación con países o ciudades en general, sino también con respecto a determinados lugares en particular.

Informarse

Una de las mejores formas de que su hijo se mantenga seguro consiste en que él mismo lea la mayor cantidad de información posible sobre el lugar que visitará antes de llegar. Incentive a su hijo para que busque información en sitios web oficiales, como los que enumeramos más arriba. También puede sugerirle que hable con otros compañeros que hayan ido a estudiar al mismo lugar. Los estudiantes que cuenten con esa experiencia podrán darle motivación y apoyo, además de brindarle datos prácticos, relevantes y recientes. A continuación, presentamos otros consejos que le puede dar a su hijo:

- Investigar sobre los acontecimientos actuales, costumbres y cultura, política, economía, historia, religión, geografía y clima.

● Leer material de distintas fuentes sobre las conductas y prácticas cotidianas de la gente mucho antes de partir.

● Hablar con personas que hayan crecido o pasado bastante tiempo en el país al que viajará su hijo para preguntarles específicamente por las diferencias en términos de conductas sociales que debería conocer.

● Preguntar sobre los estereotipos estadounidenses que podrían haber notado otros estudiantes durante su estadía en el exterior, y cómo recomiendan manejarlos.

● Leer evaluaciones escritas por alumnos que hayan estudiado en el país anfitrión.

Hablar de salud y seguridad

Ya sea que su hijo tenga por costumbre viajar o que esta sea su primera experiencia, es necesario que él piense en su integridad personal y comprenda cuáles son los riesgos inherentes a ser un extraño que vive en suelo extranjero. Un poco de planificación y un alto grado de toma de conciencia en el lugar pueden contribuir en gran medida a la seguridad de su hijo. Además de que su hijo investigue sobre el lugar de destino, es recomendable que usted hable con él sobre la importancia de mantenerse seguro y saludable en un lugar desconocido. Aconseje a su hijo lo siguiente:

● **Estar especialmente alerta al llegar.** La combinación de fatiga y emoción puede hacer que su hijo no perciba los peligros que lo acechan a su llegada. Tener pensado de antemano cómo salir del aeropuerto o la estación de trenes.

● **Estar al tanto de las noticias locales.** Una vez que pise suelo extranjero, su hijo quedará sujeto a la legislación de ese país. Por lo tanto, debe conocer las leyes locales, observarlas y poner atención a los temas de actualidad del país. Para ello, se recomienda que lea el periódico local, y que formule a amigos y asesores del campus todas las preguntas que considere necesarias.

● **Conocer el vecindario.** Familiarizarse con los alrededores lo antes posible, de la forma que le resulte más conveniente.

● **Evitar llevar artículos importantes o de valor.** El pasaporte (y otros elementos de valor) se debe guardar en un sitio seguro y cerrado. Sin embargo, se recomienda que su hijo lleve una fotocopia del pasaporte a todos los lugares adonde vaya. Es aconsejable guardar pequeñas cantidades de dinero en efectivo en más de un lugar, como la billetera o la cartera, y llevar unos cuantos billetes de menor valor en el bolsillo para tenerlos a mano.

● **Conservar el buen estado de salud.** Aliente a su hijo a que elija comida saludable, haga actividad física, beba con moderación, se mantenga hidratado y duerma lo necesario.

● **Tener cuidado en la ruta.** Aconséjele que no alquile un automóvil (salvo que no tenga otra alternativa), que evite tomar taxis que no tengan cinturón de seguridad, y que solo tome autobuses de una empresa establecida y recomendada, para ir por el camino más seguro, no el más rápido.

● **Estar al tanto de las normas culturales.** Incentívelo para que se familiarice con las normas culturales del lugar, las respete y esté preparado para ponerlas en práctica mediante sus propias acciones, cuando corresponda.

● **Cuidarse de carteristas y robos menores.** Enséñele a su hijo a estar atento a su alrededor cuando salga a la calle, y a desconfiar de quienes le pidan ayuda o le ofrezcan cambiarle dinero o brindarle visitas turísticas.

● **Tener un plan para imprevistos relacionados con todos los aspectos del viaje,** desde la pérdida de equipaje hasta una evacuación de emergencia. Es menos probable que su hijo entre en pánico ante un posible problema si ya cuenta con algunas ideas sobre cuál es la mejor forma de proceder.

Fomentar el sentido común

Más allá del conocimiento que su hijo tenga del idioma local o de lo mucho que se oriente, el simple sentido común jugará un papel clave a la hora de mantenerse seguro.

● **Proteger los objetos de valor.** Indíquele a su hijo que no salga con objetos de valor (incluido el pasaporte), salvo cuando la situación lo requiera. Sin embargo, en todo momento debería llevar una fotocopia del pasaporte, o sacarle una foto con el celular, y también guardar la foto como un mensaje de correo electrónico. Además, su hijo debe enviarse a sí mismo toda la información importante, como números de tarjeta de crédito y cuentas bancarias, a fin de recuperar esos datos en caso de extravío o robo. Sugiérale usar una cangurera y tener cambio a mano para las compras al paso.

● **Ser inteligente en el uso del dinero.** Enséñele a su hijo a administrar el dinero que lleve, a estar al tanto del precio de las cosas, a no despilfarrar y a ajustarse a un presupuesto.

● **Mantener a familiares y amigos al tanto de los movimientos de su hijo, en especial, cuando viaje.** Si hay otras personas que saben dónde se encuentra su hijo y cuáles suelen ser sus horarios de llegada, podrán alertar sobre cualquier imprevisto de manera oportuna.

● **Mantener un perfil bajo.** La vestimenta, los gestos, el idioma, y en especial, las guías y los mapas denotarán que su hijo es extranjero. Si logra pasar desapercibido mezclándose con la gente del lugar, es menos probable que lo señalen como posible blanco de un delito.

- **No andar solo de noche.** Puede que su hijo se sienta seguro, y que la ciudad o el país también lo sean, ¿pero por qué buscar problemas? Después de todo, ningún lugar es más seguro de noche que en plena luz del día. Siempre es más seguro ir acompañado de otras personas, en especial si su hijo se pierde o debe sortear otras dificultades.

- **No tomar atajos, callejones ni calles poco iluminadas.** Aunque su hijo esté apurado, siempre es mejor llegar tarde que sufrir un ataque. Por eso, se recomienda que tome calles anchas y transitadas, bien iluminadas y conocidas.

- **No aceptar comida ni bebida de extraños.** Si su hijo se siente mal o intoxicado, deberá alertar de inmediato a un amigo o una autoridad, como puede ser un oficial de policía. Como no será posible conocer la causa de los síntomas, quizás tenga que ir al hospital.

- **No embriagarse.** Es natural que su hijo quiera ir de fiesta con sus nuevos amigos. Dígale que tome las cosas con calma y que no pierda el control.

- **No consumir drogas.** Si las drogas son ilegales, la norma es sencilla: su hijo no debe consumirlas, ni siquiera si ya las conoce y sabe cuáles son sus efectos. Para quienes consumen por primera vez, la legislación de algunos países es sumamente estricta, y no sirven de nada las excusas del tipo: "No soy de aquí". Además, puede tratarse de drogas adulteradas o de mala calidad. Aunque sean legales, es mejor no consumirlas para mantenerse alerta y no perder el control.

- **Tener sexo seguro.** Indíquele a su hijo que viaje con condones para no correr riesgos.

- **No arrinconarse.** Si está con alguien que no conoce bien, su hijo debe evitar ciertas situaciones y lugares, como el interior de un automóvil, un departamento, o una playa o un parque desiertos.

- **Mantenerse alejado de las zonas donde se cometen muchos delitos.** Si su hijo sabe que hay lugares de la ciudad que son desagradables, debe mantenerse alejado de ellos. Si realmente tiene que ir a uno de esos lugares, lo mejor es que vaya acompañado de algún amigo que sea nativo y de confianza, y que solo vaya durante el día.

- **Tener conciencia del sentimiento antiestadounidense.** No hay mucho que se pueda hacer ante una postura antiestadounidense ya generalizada o persistente. No obstante, su hijo puede hacer que resalte lo menos posible su condición de estadounidense, e intentar parecerse más a alguien de cualquier otro país occidental. Ingrese al sitio web del Departamento de Estado de EE. UU., inscríbase en el programa STEP, y utilice el sistema de amigos.

- **Prestar atención a las noticias.** Lo que uno desconoce puede hacerle daño. Por tal motivo, su hijo debe estar al tanto de los acontecimientos locales. Por ejemplo, una huelga de transporte podría dejarlo varado en algún lugar. Un período de elecciones inminentes podría desencadenar manifestaciones políticas. O podría haber una reciente ola de robos en determinados medios de transporte, en ciertas áreas.

- **Estar atento a las estafas.** Lamentablemente, los viajeros de todo tipo han sido víctimas de una serie de estafas con el fin de obtener su dinero. Su hijo debe ser muy cauteloso a la hora de prestar o entregar dinero a otras personas. También se recomienda que sospeche de cualquier oferta que parezca demasiado buena para ser cierta, ya que, probablemente, sea una estafa.

Consejos para las mujeres que viajan

Por desafortunado e injusto que sea, lo cierto es que las mujeres deben tener más cuidado que los hombres cuando viajan al extranjero. Esto significa evitar correr riesgos, incluso aquellos que, normalmente, estarían justificados en el país de origen. El hecho de haber crecido en Estados Unidos proporciona a su hijo una perspectiva de los roles de género que puede ser muy distinta de la que tengan las personas del país anfitrión. Además, la mayoría de las culturas tiene sus impresiones ya formadas sobre "cómo son las mujeres estadounidenses". Estas impresiones están fundadas, sobre todo, en películas y programas de televisión. Todos sabemos cuán poco realistas suelen ser estos productos, pero quizá los extranjeros no. Si su hijo, o sobre todo, su hija, planifican viajar a otro país, deben estar al tanto de estas percepciones, a fin de estar preparados para lidiar con ellas. La más perniciosa, y ante la cual deberían estar más prevenidas las mujeres que viajan, es aquella que sostiene que las estadounidenses son "fáciles".

Lamentablemente, es posible que una mujer cumpla con ese estereotipo de manera inadvertida, a causa de su forma de sonreír, hacer contacto visual, entablar una conversación, o relacionarse con los estudiantes varones. Esto ocurre porque las normas culturales pueden ser engañosamente distintas. Lo que para un estadounidense puede no significar nada, para un extranjero podría decir muchísimo, sobre todo si pertenece a una cultura más restrictiva. Es importante

¿MI HIJO RECIBIRÁ UN TRATO INJUSTO EN EL EXTRANJERO?

La experiencia de cada estudiante es distinta, pero más allá de las características de raza, religión, género, discapacidad física u orientación sexual, es posible que su hijo sea víctima de discriminación en otro país. El margen de probabilidades es el mismo que en el campus o incluso la ciudad del país de origen. Si bien la mayoría de los estudiantes ha vivido experiencias positivas en el extranjero, los siguientes consejos pueden servirle a su hijo para afrontar la discriminación en otro país.

Consejos para lidiar con la discriminación en el extranjero

- **Hacer la tarea juntos.** La mejor forma de lidiar con la discriminación en el extranjero consiste en prepararse mediante el aprendizaje de la dinámica histórica y cultural del país anfitrión. Esto brindará a su hijo algunos indicios sobre lo que puede esperar cuando esté en el extranjero. Trabajar junto con su hijo para identificar las fuentes de noticias recientes, blogs u otros recursos en línea puede resultar útil para mantenerse al tanto de las cuestiones culturales más actuales del país.

- **Preguntar a los demás.** Si su hijo considera que ha sido víctima de discriminación, aconséjele que le explique la situación a alguien en quien confíe en el país anfitrión, como los organizadores del programa o la familia que lo aloje. Es importante contar con una perspectiva local antes de sacar conclusiones sobre el significado de esas acciones en particular. En muchos lugares del mundo, no existe el grado de diversidad que hay en Estados Unidos. Esto genera que el hecho de ser diferente pueda incitar a una genuina curiosidad que se exprese mirando fijo o tocando al estudiante extranjero, sin que estas acciones tengan una intención maliciosa.

- **Denunciar el caso.** Si su hijo sufre algún tipo de daño, indíquele que denuncie el incidente ante los organizadores del programa de inmediato. Ellos derivarán a su hijo con las autoridades legales más cercanas. Asegúrese de que todo quede debidamente documentado, a fin de que se puedan informar todos los detalles del caso. Si bien, a diferencia de Estados Unidos, el racismo y la discriminación reciben otro tratamiento legal en los demás países, denunciar el incidente permite a los directores del programa abordar la situación de la mejor manera posible.

Colaboración especial de *Diversity Abroad*

recordar que los nativos verán a su hijo desde su propia perspectiva cultural. Para las mujeres en particular, las interpretaciones erróneas o los malentendidos pueden tener consecuencias desagradables, e incluso peligrosas.

Por tal motivo, su hija debe respetar la cultura del país anfitrión, vistiéndose y comportándose con propiedad. Es mejor que sea demasiado conservadora en vez de adoptar el extremo opuesto, por lo menos hasta que entienda del todo las normas del lugar. A continuación, ofrecemos algunos consejos para ayudar a las mujeres a mantenerse seguras en otro país:

- Tener en cuenta que, en muchos países, las mujeres no gozan de igualdad de derechos.

- No dejar que la tomen por sorpresa: preocuparse por estar atenta y consciente de lo que la rodea, en todo momento.

- Si se acerca algún extraño, es preferible pecar de cautelosa.

- Llevar el dinero en un lugar discreto.

- Vestirse de manera conservadora, en especial durante la noche y cuando haga calor.

- No planificar llegar tarde por la noche ni ir sola a un lugar desconocido.

- Siempre utilizar la entrada principal del hostal o departamento donde viva.

- No caminar sola de noche, salvo que sea absolutamente necesario.

- Usar el sentido común y priorizar la propia seguridad.

Emergencias

Ante una situación adversa que afecte a ciudadanos estadounidenses, la embajada de EE. UU. en el país extranjero se encargará de publicar avisos en su sitio web, difundir información en los medios locales, y se pondrá en contacto con los ciudadanos estadounidenses mediante las direcciones de correo electrónico o números de teléfono conocidos, o a través del programa STEP si su hijo está inscrito, tal como se recomienda (ver página 40). En el improbable caso de que la situación implicara un riesgo para la vida de las personas, la embajada recomendará a todos los ciudadanos estadounidenses que abandonen el país. A tales fines, podrá ofrecer asistencia para el traslado. Si su hijo estudia o se dirige a un país propenso a catástrofes naturales, como erupciones volcánicas o inundaciones, o a lugares donde suelen ocurrir revueltas políticas o sociales, debe tomar precauciones adicionales, tales como familiarizarse con los planes de evacuación que figuren en el sitio web del país. En la mayoría de los casos, su hijo, o el programa en el que participe, tendrán que organizar el transporte comercial.

Tratamiento médico

Las prácticas médicas varían de manera significativa en todo el mundo, de modo que es importante que usted y su hijo comprendan el sistema de atención médica básico del país anfitrión. Su hijo siempre puede consultar información en la embajada o el consulado estadounidenses sobre médicos, clínicas u hospitales recomendados.

Si antes de salir de EE. UU. su hijo toma las precauciones adecuadas en cuanto a salud y seguridad, y hace todo lo posible por mantenerse saludable, es más probable que no sufra ningún incidente durante su estancia en el extranjero.

CAPÍTULO 5

Preparar a su hijo para el éxito en el extranjero

Una vez que su hijo elija un programa, aún quedará mucho por hacer antes de partir, y esperar a último momento siempre resulta ser un gran error. Además de cerciorarse de que su hijo complete la solicitud a tiempo, tramite o renueve su pasaporte, y cuente con todas las visas necesarias, indíquele que comience a considerar los aspectos intelectuales, emocionales y físicos que conlleva la inminente experiencia de estudiar en el extranjero.

Prepararse para un viaje de estudios en el extranjero implica mucho más que comprar el pasaje, seleccionar los cursos, y despedirse de los amigos y familiares. Reubicarse en otro país, en cualquier circunstancia y por el período que sea, constituye un proyecto serio. Su hijo debe tomar la iniciativa de investigar sobre el país, la cultura y la gente del país de destino, a fin de adquirir la información y los conocimientos necesarios para hacer de su viaje una experiencia exitosa. Usted puede ser de gran ayuda, o simplemente mantenerse "informado". Asegúrese de saber todo lo que necesite saber, y de que su hijo cuente con todo lo necesario para partir en las mejores condiciones.

Ayude a su hijo a organizarse

Después de elegir un programa, cumplir con todos los requisitos de elegibilidad, y confirmar que el programa responde a sus objetivos personales y académicos, su hijo tendrá que enviar una solicitud, y por lo general, tendrá que hacerlo antes de un plazo determinado. Una vez que lo acepten, deberá completar documentos de admisión, lo que incluye un contrato legalmente vinculante y formularios sobre selección de cursos. Lea detenidamente todo el contrato con su hijo, en especial la información sobre políticas de pago y reembolsos.

Preparativos para el viaje

Si su hijo viajará al extranjero con la facultad o con un programa de origen estadounidense, es probable que los preparativos relacionados con la salida estén a cargo de la institución que patrocina el viaje. Sin embargo, es posible que su hijo tenga que elegir algunos aspectos, como la ciudad de salida y la aerolínea. Por el contrario, si su hijo tiene que organizar los preparativos por su cuenta, es mejor que tenga todo listo lo antes posible, en particular si viaja en temporada alta. Independientemente de si su hijo planifica comprar su propio pasaje o viajar en grupo, averigüe si se puede dejar el regreso abierto para que tenga la opción de quedarse más tiempo luego de la estadía prevista. En todo caso, el viaje de regreso siempre se debe programar unos días después de los exámenes finales, a fin de que su hijo tenga tiempo de empacar y cumplir con sus obligaciones administrativas o domésticas, como limpiar la habitación de la residencia o el departamento.

Si nadie lo irá a buscar al aeropuerto, asegúrese de que su hijo tenga un plan práctico para salir del aeropuerto y llegar al destino final dentro del país. También debe acordar cómo y cuándo su hijo se comunicará con usted al llegar.

Pasaporte

Asegúrese de que su hijo tenga el pasaporte en regla, y según el país al que viaje, que tenga la visa. La mayoría de los países requieren que el pasaporte tenga una validez mínima de seis meses pasada la fecha del pasaje de regreso; en caso contrario, deberá renovarlo. Tramitar un pasaporte nuevo o renovar el anterior es más sencillo de lo que la gente cree. De todas maneras, se necesitan tiempo y dinero, además de que exige conseguir ciertos documentos, sobre todo una copia certificada de la partida de nacimiento. Para obtener instrucciones e información detallada sobre cómo tramitar o renovar el pasaporte, visite el sitio web del Departamento de Estado de EE. UU. Nota: los padres también deberían contar con su pasaporte en regla, en caso de que tengan que viajar de urgencia.

Visa

Una visa es un timbre, sello o documento oficial que se anexa a un pasaporte para permitir el ingreso a otro país durante un tiempo determinado y con un fin específico. Mientras que la mayoría de los países requiere la visa para estadías de más de 90 días, otros exigen que los estudiantes tengan una visa de estudiante, independientemente de cuánto tiempo se queden en el país. Para informarse acerca de si necesitan o no una visa, los ciudadanos estadounidenses pueden visitar el sitio web del país de destino, o ingresar al sitio web del Departamento de Estado de EE. UU. y hacer clic en "Country Specific Information" (Información específica según el país). Si el estudiante debe contar con una visa antes de partir (en cuyo caso el programa le informará este requisito a su hijo, pero siempre se recomienda corroborar la información), él será la persona responsable de tramitarla. Su hijo necesitará saber dónde y cuándo solicitarla, y cuáles son los documentos necesarios para tramitarla. De acuerdo con el país y el consulado o la embajada, el proceso de solicitud puede demorar entre una semana y varios meses, y a veces puede ser bastante largo. Es muy importante tener en cuenta los plazos para tramitar una visa y presentar la solicitud lo antes posible.

Según el destino de su hijo, el asesor del programa puede aconsejarle que no solicite una visa antes de salir de Estados Unidos, sino que prorrogue la que tenga cuando ya esté en el país, antes de que venza a los 90 días. Verifique bien esta recomendación en el sitio web del Departamento de Estado de EE.UU. Si su hijo no cuenta con la visa necesaria, se le puede impedir que aborde el vuelo, o negarle el ingreso al país al llegar. Las normas sobre visas pueden sufrir modificaciones; depende de su hijo estar al tanto de la información más actualizada.

Atención médica

Antes de viajar, se recomienda que su hijo se someta a un examen físico general y que se aplique todas las vacunas recomendadas u obligatorias. También debería hacerse cualquier arreglo dental pendiente antes de partir. Asegúrese de que lleve su historia clínica completa, todas las recetas que necesite, y un par de anteojos extra, según corresponda. Si bien su hijo tendrá otra cobertura de salud mientras estudie en el exterior (muchos programas de estudios en el extranjero exigen que así sea), manténgalo como familiar a cargo en su póliza de seguro médico. Tenga en cuenta que, en muchos países, el paciente debe pagar por adelantado el costo de los servicios médicos; de lo contrario, se le negará el tratamiento. El sitio web de los Centros para el Control y la Prevención de Enfermedades (CDC) ofrece información completa sobre salud y atención médica para viajeros, lo que abarca vacunas obligatorias, cómo mantenerse seguro en otro país, y las medidas que se pueden tomar si el viajero sufre alguna enfermedad o lesión.

Información y documentación importante

No deje de recomendarle a su hijo que tenga varias copias de los documentos importantes. Pídale que le deje una copia de cada documento a un familiar de confianza o a un amigo en casa, y que los escanee y los guarde en su disco duro. Asimismo, le puede sugerir que los cargue en formato digital en una ubicación de acceso seguro. Algunos documentos importantes son el pasaporte, la visa (si corresponde), tarjetas de débito o crédito (número e información de contacto), e información de contacto ante emergencias en el país anfitrión: el equivalente al 911, la embajada o el consulado de EE. UU., y los servicios de emergencia de las instituciones del país de origen y del país de destino.

PROGRAMA SMART TRAVELER ENROLLMENT (STEP, INSCRIPCIÓN DEL VIAJERO INTELIGENTE) DEL DEPARTAMENTO DE ESTADO DE EE. UU.

Entre dos y tres semanas antes de partir, motive a su hijo para que se inscriba en el programa Smart Traveler Enrollment (STEP), que figura en el sitio web del Departamento de Estado de EE. UU. La inscripción es muy sencilla: el viajero tiene que escribir su nombre, destino, duración de la estadía y medio de contacto en el exterior. Mediante esa información, el Departamento de Estado enviará mensajes importantes de seguridad o emergencia, según lo justifiquen las circunstancias. Los mensajes pueden consistir en alertas de seguridad (por huelgas, disturbios civiles o protestas), advertencias de salud (por brotes de enfermedades), y cambios significativos en las relaciones bilaterales. Si su hijo tiene pensado viajar más allá del país anfitrión, solo debe actualizar el perfil STEP con las fechas y los destinos nuevos. Usted y su hijo pueden descargar la aplicación gratuita "Smart Traveler" (Viajero inteligente) en el sitio web del Departamento de Estado.

Ayude a su hijo a armar un plan financiero viable

Una vez que haya seleccionado el programa de estudios en el extranjero y la forma de pago que desea utilizar, su hijo tendrá que calcular cuánto dinero necesitará destinar a otros gastos, como pasaje aéreo, visa, atención médica y gastos diarios. Los primeros tres se deben evaluar y planificar antes de viajar, y cada uno tendrá un costo previsible. Los gastos diarios, en cambio, son mucho menos predecibles. El costo de vida del país de destino constituye un aspecto fundamental a la hora de determinar la cantidad de dinero que pagará su hijo por alojamiento, comida, transporte y otros gastos diarios. Además, el costo de vida influirá en la cantidad de dinero que su hijo tenga que llevar y administrar. Los estudiantes que viajen por primera vez tendrán que prestar atención al tipo de cambio, comparar los costos de vida del país anfitrión con los de Estados Unidos, y pedir consejos a otros estudiantes que ya hayan viajado. A veces, por la diferencia de cambio, los estudiantes caen en la trampa de gastar más dinero del que creen.

Armar un presupuesto

A continuación, establezca un presupuesto de acuerdo con la moneda del país de destino. Identifique las categorías de gastos y fije un presupuesto para cada una, o arme un presupuesto general para toda la estadía y defina la asignación diaria. Su hijo elegirá la forma que prefiera, pero en todos los casos, tendrá que hacer un seguimiento de los gastos y llevar un control constante de la manera en que gasta el dinero. Si su hijo comienza a excederse del presupuesto, aconséjele que modere sus gastos hasta que se pueda reajustar el presupuesto, lo cual debería ocurrir de inmediato. Es muy probable que salirse del presupuesto sea la forma más fácil de meterse en problemas en otro país, además de que pondrá en riesgo el disfrute y el valor que representa la experiencia de estudiar en el extranjero.

Cómo acceder al dinero

Determine junto con su hijo la manera en que este accederá al dinero para los gastos diarios y los de emergencia, si fuera necesario. Una de las formas más eficaces de administrar el dinero en otro país consiste en abrir una cuenta en un banco local. Si esto no es posible, dígale a su hijo que averigüe en su banco si la tarjeta para cajeros automáticos funciona en el extranjero y cuáles son las comisiones asociadas. Antes de partir, su hijo debe informar al banco sobre el viaje inminente para no dar lugar a sospechas de fraude que deriven en el bloqueo de la cuenta. Converse sobre los pros y los contras de retirar grandes y pequeñas cantidades de dinero. Por ejemplo, a pesar de que las sumas más grandes minimizan los gastos por operación, traerán mayores consecuencias en caso de extravío o robo. Ofrézcale a su hijo llevar tarjetas de crédito o de débito precargadas (las que requieren presentar un pasaporte) con dinero que pueda depositar un familiar desde el país de origen. Aunque las dos alternativas son más seguras que llevar efectivo a todas partes, su uso puede acarrear comisiones, y quizás no las acepten en tantos lugares como para que valga la pena elegir esta opción.

Cómo gastar y ahorrar dinero

Hable con su hijo sobre distintas formas de ahorrar dinero en el país anfitrión. Tal como se indica en el Capítulo 3, algunos consejos incluyen comprar comida en mercados locales en lugar de comer en restaurantes, utilizar el transporte público en vez de taxis, y caminar o andar en bicicleta lo más que pueda. Otras recomendaciones son solicitar descuentos para estudiantes (llevar siempre una identificación de estudiante), aprovechar el servicio gratuito de Skype para comunicarse con familiares y amigos, hallar la mejor opción en teléfonos celulares (o decidir si realmente necesita uno), usar efectivo siempre que pueda, y buscar ofertas.

USO DE TELÉFONOS CELULARES EN EL EXTRANJERO

Los teléfonos celulares se usan en todo el mundo, y resultan útiles en emergencias y para comunicarse con amigos a nivel local. Analice todas las opciones a la hora de decidir cuál será el mejor teléfono para su hijo, en función del tiempo que estará fuera del país, la ubicación, y su presupuesto. Casi todas las empresas estadounidenses de telefonía celular ofrecen servicios complementarios y planes de uso en el exterior, pero algunos son bastante caros o funcionan con aparatos que son incompatibles con las redes extranjeras. Su hijo también puede comprar una tarjeta SIM local para su teléfono celular de EE. UU., aunque la tarjeta funcionará solamente en un aparato tribanda o cuatribanda desbloqueado. Otra opción, que quizás sea la más práctica y económica para los estudiantes que viajan por un semestre o más, es comprar un celular local (y una tarjeta SIM) al llegar. Los estudiantes que ya viajaron o los organizadores del programa podrán informarle sobre las mejores tiendas locales y los planes más recomendables.

Ayude a su hijo a pensar de manera global

Como padre, también puede ayudar a su hijo a prepararse para la experiencia intelectual, social y psicológica animándolo a que desarrolle una visión global. El desarrollo de una visión global significa que su hijo piense en términos globales acerca de la tarea escolar, los amigos, los alimentos que come, las noticias que lee, los clubes a los que asiste, la comunicación e interacción con personas diferentes, y su futuro. Para el estudiante, ir a estudiar a un país extranjero debe ser, ante todo, una oportunidad para abrir la mente al mundo y su gente, así como a sus lugares, ideas y acontecimientos. Investigue con su hijo sobre el país anfitrión para demostrarle su interés e informarse. Anime a su hijo a que se prepare para los intercambios culturales mejorando su personalidad global antes, durante y después de estudiar en otro país. A continuación, presentamos algunas sugerencias que su hijo puede tener en cuenta:

● Prestar atención a los acontecimientos mundiales y a las noticias internacionales.

● Llevar un control de las tendencias políticas globales.

● Cultivar su capacidad para escuchar y otras habilidades personales que mejoren la interacción intercultural.

● Aprender o practicar un segundo idioma.

- Leer en Internet las noticias nacionales del país y la región que visitará.

- Participar en clubes internacionales locales y virtuales.

- Hacerse amigo de estudiantes extranjeros en el campus del país de origen.

- Prestar atención a los problemas del mundo que le interesen.

PREPARAR EL EQUIPAJE

Cuando se trata de empacar, es posible que lo mejor para usted, como padre, sea participar lo menos posible. Es probable que en la escuela o los coordinadores del programa le hayan dado recomendaciones a su hijo sobre cómo empacar, por lo que seguramente sabrá lo que necesita y lo que no, o lo que puede comprar cuando llegue a su destino. Si no quiere que cometa grandes errores al empacar, dele a su hijo estos consejos generales:

- Haz una lista para no olvidar nada.

- Empaca solo lo que puedes llevar (una maleta mediana con ruedas, una mochila grande, un bolso de mano o una mochila pequeña).

- No empaques objetos de valor en el equipaje que tienes que documentar.

- Adhiere al equipaje etiquetas resistentes con tus datos, además de una cinta o un lazo de color para identificarlo fácilmente.

- Verifica la política de equipaje de la aerolínea y los límites de peso.

Aliente a su hijo a buscar formación intercultural

Uno de los beneficios de estudiar en el extranjero consiste en la competencia intercultural que permite adquirir. Esto requiere, ante todo, entender las numerosas diferencias que existen entre la cultura propia y la nueva. Algunas diferencias son claras y evidentes, mientras que otras son sutiles y mucho menos explícitas. La cultura representa la base fundamental de nuestra identidad: quiénes pensamos que somos, cómo damos sentido a las cosas, y aquello que nos importa y por qué. Por eso, las diferencias culturales son una fuente clave de conflicto entre las personas.

Las diferencias culturales pueden interferir (de hecho, a menudo interfieren) en la comunicación y las relaciones interpersonales. Durante varias décadas, las investigaciones de antropólogos y expertos interculturales nos han demostrado que la mayoría de la gente obtendría muchos beneficios si contara con cierto grado de preparación y formación antes de acceder a otras culturas. Asistir a breves sesiones de información introductoria puede no brindar la preparación suficiente para que su hijo enfrente el entorno ajeno del país anfitrión de manera exitosa. Como resultado, la falta de preparación podría impedirle aprovechar al máximo la inversión en el viaje. Los buenos programas de formación le sirven al estudiante para adaptarse mejor a los nuevos entornos, ya que les brindan un marco de referencia específico para lo siguiente:

- entender las diferencias entre culturas;
- aprender las formalidades de la comunicación intercultural;
- desarrollar habilidades de adaptación a nuevos entornos;
- trabajar en equipos diversos;
- proporcionar una descripción general de los principios básicos culturales, históricos, políticos y económicos del país anfitrión.

Sin duda, no existe la solución que abarque todo, por lo que la formación jamás puede contemplar todas las situaciones. Aun así, una buena preparación servirá para que su hijo desarrolle técnicas de resolución de problemas que lo ayuden a destacarse a nivel académico, y a vivir y trabajar sin problemas en otras culturas.

Desafortunadamente, la gran mayoría de los jóvenes que estudian en el exterior no reciben una formación intercultural adecuada. Aliente a su hijo a que busque formación intercultural en el campus, y si la capacitación no es lo suficientemente completa, sugiérale que consulte "What's Up with Culture" (¿Qué hay con la cultura?), un programa de formación intercultural en línea y gratuito, desarrollado por la Universidad del Pacífico. Su hijo también puede aprender sobre diferencias culturales a través de la serie Culture Shock! o las Guías del xenófobo, disponibles en librerías, bibliotecas e Internet.

Hágale a su hijo regalos prácticos y emotivos

Su hijo está por emprender una aventura, y como no podría ser de otra manera, usted y los demás familiares pueden sentir la necesidad de hacerle un regalo. Si su hijo es como casi todos los estudiantes, el dinero en efectivo suele ser el regalo más apreciado, pero también considere hacerle regalos prácticos y emotivos para el viaje. Aquí le dejamos algunas ideas:

- **Un portapasaporte** que tenga bolsillos con cierre para guardar los documentos en un lugar seguro y organizado.

- **Una buena mochila** que sea lo suficientemente pequeña para llevar en el avión, pero con la capacidad adecuada para guardar elementos para dos o tres días; lo ideal es que sea impermeable y tenga muchos bolsillos por dentro y por fuera.

- **Una navaja tipo suiza** bien afilada que incluya varias herramientas, pero bastante pequeña como para caber en un bolsillo. (Nota: durante el vuelo, las navajas deben almacenarse en el equipaje que se documente; de lo contrario, serán confiscadas).

- **Un adaptador de corriente universal**, ya que los enchufes varían según el país y la región, y muchas veces ocurre que no son compatibles con los equipos de EE. UU.

- **Los libros** son excelentes compañeros de viaje. Lo recomendable sería que traten sobre algún destino específico, como suelen hacer las guías culturales o turísticas, pero también pueden ser de literatura o ficción, de historia u otro género de no ficción, ya sea en formato digital o impreso.

- **Un diario** para registrar reflexiones, impresiones, emociones y dudas. No es necesario que el diseño sea lujoso, para que no llame la atención, pero puede incluir varias fotos especiales o alguna dedicación manuscrita.

- **Las comodidades del hogar:** los regalos emotivos de casa siempre son apreciados, por ejemplo, un manojo de cartas manuscritas para abrir una vez por mes, una foto familiar con un marco ligero e irrompible, o un pequeño paquete de dulces o con los alimentos preferidos de su hijo, para que los saboree cuando extrañe su hogar. Según el tiempo que su hijo permanezca en el extranjero, es posible que usted quiera enviar los regalos después de que haya llegado a destino. Para eso, infórmese sobre los tiempos y costos de envío.

Otro regalo práctico es la *Guía del estudiante para estudiar en el extranjero*, un libro muy completo, explicativo y práctico que brinda toda la información necesaria de forma entretenida y atractiva. La Guía aborda en detalle todos los aspectos de un viaje de estudios al extranjero, por ejemplo: todo lo que debe hacer el estudiante antes de partir, durante su estadía en otro país, y al regresar al país de origen. Este recurso práctico incluye 100 consejos fáciles de seguir y docenas de historias reales. Cada capítulo contiene citas y anécdotas útiles que han proporcionado diversos estudiantes, asesores y profesionales.

Tranquilice a su hijo

A medida que se acerque la fecha del viaje, su hijo podría empezar a dudar de sí mismo, y expresar inquietudes y miedos. Incluso podría pensar en abandonar el plan. Esto es absolutamente normal. Viajar al extranjero, tener que despedirse de familiares y amigos, y encargarse de tantos detalles, ya sean grandes o pequeños, puede resultar abrumador. No subestime estas reacciones, ya que son genuinas, y su hijo necesitará escuchar que usted confía en él y en su capacidad de vivir esta gran aventura sin inconvenientes. Su hijo ha crecido mucho desde que comenzó el primer año en la universidad. Dígale que usted sabe que él es capaz de resolver cualquier imprevisto que pudiera surgir durante su estadía en otro país, y que si no puede hacerlo, siempre hay recursos de ayuda disponibles.

Como padre, debe involucrarse en dos frentes, como mínimo. En primer lugar, asegúrese de preguntarle a su hijo si contempló todos los pasos importantes que se mencionan en este capítulo. Asimismo, pídale copias de toda la documentación de viaje relevante, en especial, la información del vuelo y los datos de contacto de las personas que lo recibirán. En segundo lugar, debe incentivar a su hijo para que adopte la actitud correcta: está por viajar al extranjero para aprender, experimentar y sumergirse en otra cultura.

CAPÍTULO 6

Brindar apoyo a su hijo mientras está en el extranjero

Una vez que su hijo sale de viaje, es momento de relajarse y apoyarlo a la distancia. El hecho de que tenga éxito o no en el extranjero depende, en gran medida, de la capacidad que tenga su hijo para adaptarse de manera adecuada a la cultura local, lo cual no siempre es sencillo. Su hijo tendrá que prestar atención a lo que ocurre a su alrededor, percibir los acontecimientos más notables, pero también los pequeños detalles, y entrar en el ritmo de vida del lugar de destino. Asimismo, tendrá que hacer nuevos amigos y conocidos, y familiarizarse con su nuevo vecindario. Como gran parte de las cosas le resultarán extrañas y nuevas, lo mejor es que su hijo absorba todo, converse al respecto con sus compañeros y empiece a adaptarse por su cuenta. El proceso de adaptación es una de las áreas de crecimiento en común entre la mayoría de los estudiantes.

Para experimentar de verdad otra cultura, los expertos recomiendan una inmersión total: idioma, arreglos de estadía, comida, actividades, y mucho más. Sin duda, la mayoría de los participantes que viajan por primera vez a estudiar en el extranjero no están listos para esta clase de inmersión, así que no espere lo contrario. Aun así, aliente (y ayude) a su hijo a que se sumerja lo más posible en la cultura de destino, incluso si se trata de un programa dirigido por una universidad. Para eso, su hijo debe separarse lo más que pueda de su hogar y de la cultura de origen. Por lo general, esto se traduce en llamadas poco frecuentes, y en un consumo más limitado de las redes sociales, así como de música y cine estadounidenses.

Choque cultural

Como padre, es importante que comprenda el choque cultural, ya que su hijo tendrá esta experiencia de una u otra forma. Usted tendrá que educarse en las tres etapas que conlleva el impacto para que no lo tome por sorpresa cuando ocurra. Técnicamente, el impacto cultural es la confusión, la desorientación y la conmoción emocional producto de sumergirse en una cultura nueva. El impacto cultural suele desarrollarse en un ciclo de tres etapas que comienza con un período de luna de miel, durante el cual todo parece maravilloso. Lo fabuloso se convierte en frustración, depresión y confusión, que suelen ser las consecuencias de algún hecho en el que hubo diferencias culturales o malentendidos aparentemente leves. Sin embargo, todo suele terminar bien, ya que la etapa de recuperación devuelve el equilibrio después de que uno recupera la seguridad en sí mismo y aprende a apreciar la nueva cultura como un todo.

Manténgase en contacto... pero no tanto

Si bien en la actualidad resulta más fácil que nunca mantenerse en contacto gracias a los teléfonos celulares, Skype, el correo electrónico y las aplicaciones para enviar mensajes de texto, esté listo para que la comunicación con su hijo no sea tan frecuente como de costumbre. Usted querrá saber cómo le está yendo, y es probable que su hijo quiera contarle, pero recuerde que si está comunicándose todo el tiempo con usted, no tendrá tiempo para hacer nuevos amigos y contactos locales. Además, mientras menos comunicado esté con usted, más autonomía podrá adquirir. Para empezar bien, hable con su hijo una o dos veces cuando llegue a destino. Luego, pauten una forma de contacto regular que les brinde tranquilidad a ambos sin que resulte obsesiva. Por ejemplo, pueden escribirse por correo electrónico una vez por semana y hablar por Skype cada cierta cantidad de semanas o una vez al mes. Recuerde: el hecho de que la comunicación sea menos frecuente no significa que es de menor calidad.

Cuando interactúe con su hijo, escuche más y hable menos. Cuéntele las novedades familiares, pero no lo abrume ni lo sobrecargue con información a tal punto que se ponga nostálgico. Sea positivo y apoye a su hijo aunque lo extrañe, a fin de que no sienta culpa por estar lejos de su familia. Pregúntele sobre lo que ha visto y hecho, pero también qué lo ha sorprendido y qué no. Aliéntelo a compartir fotos cada tanto. Su hijo debe saber que usted está contento de que él haya dado este paso tan importante, y que no ve la hora de que le cuente todo sobre su experiencia y anécdotas maravillosas cuando regrese.

Limitar el uso de la tecnología que distrae

Las tecnologías de comunicación de hoy en día permiten al estudiante seguir conectado con la cultura de EE. UU., lo cual no suele ser lo más indicado. Pídale a su hijo que haga un uso mínimo de las redes sociales, música, películas, y en cierta medida, los libros estadounidenses. Por un lado, hay quienes argumentan que estos elementos funcionan a modo de consuelo porque calman la ansiedad relacionada con el hogar y sirven para que el estudiante se adapte mejor a la nueva cultura. Por otro lado, sentirse desconectado, aislado, solo, y sí, incluso temporalmente abrumado, constituye una parte importante de la experiencia de estudiar en otro país. Si su hijo decide estudiar en el extranjero, ayúdelo para que deje todo atrás, salvo los símbolos tecnológicos y culturales estadounidenses que sean absolutamente necesarios.

No se involucre

Adaptarse a un nuevo entorno nunca es fácil, y casi todas las personas que pasan bastante tiempo en otro país experimentan cierto grado de choque cultural. Debido a que parte de la experiencia en el exterior consiste en aprender a superar las dificultades y seguir adelante, el estudiante debe descubrir cómo sortear los obstáculos por sí mismo. Claro que esto puede ser frustrante, e incluso su hijo podría pasar por una etapa negativa, de desaliento y nostalgia, en la que nada parece estar bien. Usted sentirá la tentación de intentar resolver el problema, y hasta es posible que quiera viajar para consolarlo. No lo haga, a menos que su hijo tenga un problema grave. Escuchar puede ser una de nuestras habilidades de comunicación más importantes, y sin embargo, subestimadas. Demuestre tener una mente abierta y ahórrese las opiniones. Esto no quiere decir que dejará de hacer preguntas cuando algo le preocupe o inquiete (en ese caso, tendrá que hacerlas), pero no se apresure a opinar, porque quizás no cuente con toda la información relevante para hacerlo. Demuestre su apoyo y comprensión durante la dificultad, pero evite involucrarse demasiado. Incentive a su hijo para que consulte, en primera instancia, a los servicios disponibles de asistencia al estudiante o a su contacto local. Luego, pregunte si la situación ha mejorado o las soluciones están dando resultado. De esta manera, su hijo se sentirá mucho más satisfecho y seguro al saber que logró superar las dificultades por cuenta propia, tanto cuando regrese a Estados Unidos y le toque vivir experiencias similares, como durante el resto de su vida.

Proporcione consejos para aprovechar al máximo la experiencia

Seguramente le interese que su hijo progrese durante su estadía en el extranjero, no solo que sobreviva. A fin de ayudarlo, recomiéndele estrategias para que aproveche al máximo la experiencia. Cada estudiante trae consigo una historia muy similar a la de los demás acerca de cómo creció a nivel emocional, intelectual e intercultural. Muy pocos dirán que fue fácil, pero su hijo puede aprender de quienes ya hayan vivido esta experiencia. Cuando hable con su hijo, aliéntelo a realizar lo siguiente:

- Conocer gente nueva y hacer amigos en el país anfitrión.

- Ser turista, explorar y recorrer los lugares emblemáticos.

- Probar algo nuevo cada cierta cantidad de días.

- Buscar actividades deportivas o clubes afines para participar.

- Aprender y practicar el idioma.

- Adaptarse a la cultura local.

- No hacer responsables de los problemas a los nativos.

- Aprender de los errores.

Visítelo con discreción, o directamente no lo visite

Visitar a su hijo mientras él está en otro país le dará una oportunidad fantástica de participar en su experiencia cultural. Aun así, recuerde que quienes estudian en el extranjero no están de vacaciones, sino que viajaron para aprender y asistir a clase. Esto quiere decir que tienen tarea, proyectos y fechas de entrega. También desarrollan su propio estilo de vida. Asegúrese de no interrumpir ninguno de estos aspectos de la estadía de su hijo en el extranjero. No planifique asistir a clases junto con su hijo ni llevarlo de excursión, salvo que sea al final del semestre o del período. En realidad, el mejor momento para visitarlo es cuando finalice el programa, durante el receso semestral o durante un período de vacaciones programadas para viajar juntos. Esto le permitirá a su hijo oficiar de anfitrión en su hogar temporal, enseñarle cómo comportarse como un nativo, comer en restaurantes populares del lugar, y visitar sitios fuera del circuito turístico tradicional. Asegúrese de hacer su propia investigación antes de visitar a su hijo; de esa manera, estará más atento a las costumbres y normas del país anfitrión, y no habrá motivos para avergonzar a su hijo.

Puede que sea difícil, pero una vez que su hijo esté encaminado, tendrá que soltarle la mano. Su hijo ha dado todos los pasos necesarios para hacer que su experiencia de estudio en el extranjero sea todo un éxito. Demuestre su entusiasmo y apoyo cuando su hijo le cuente anécdotas divertidas e historias tristes, y cuando le envíe fotos de lugares increíbles y amigos nuevos. Ya habrá tiempo suficiente para hacerle todas las preguntas que desee. Anótelas (incluso podría escribir un diario) y esté preparado para escuchar a su hijo cuando regrese a casa transformado por la experiencia.

CAPÍTULO 7

Ayudar a su hijo a transitar el regreso

Su hijo está por volver a casa. Sea que haya viajado por unas pocas semanas o un año entero, seguramente el tiempo ha pasado muy rápido para ambos. Si su hijo es como la mayoría de los estudiantes, es probable que sienta una mezcla de emoción y nervios a la hora de volver. Sentirá emoción por regresar a casa y reencontrarse con sus familiares y amigos, y por que le cuenten todo lo que ocurrió en su ausencia. Al mismo tiempo, también sentirá nervios por volver a integrarse con los viejos amigos, readaptarse a la vida en un campus estadounidense, y por extrañar la autonomía y el estilo de vida en el extranjero. Como padre, es imprescindible que intente entender la amplia gama de sentimientos que seguramente experimentará su hijo. Su hijo ha cambiado, y es probable que el cambio sea sustancial. Algunos cambios pueden ser evidentes, otros sutiles. Tómese el tiempo para escuchar y volver a conocer a su hijo, aceptando que quizás no pueda ayudarlo en la adaptación. Aun así, podrá sugerirle formas de integrar su experiencia de estudio en el extranjero al resto de su educación en el campus, y en definitiva, al mercado laboral.

Prepararse para la transformación

La mayoría de los estudiantes cuenta, varios años después, que el tiempo que pasaron estudiando en una facultad en el extranjero los cambió para siempre. Cuán amplios y profundos sean esos cambios dependerá de su hijo, de lo cómodo que se haya sentido en el país anfitrión, y de la rigurosidad y el alcance de la inmersión cultural. La inmersión podría haberse limitado a unos cuantos gustos o gestos superficiales, o puede haber afectado sus convicciones más íntimas. De un modo u otro, la mentalidad de su hijo habrá cambiado para siempre. Desde el punto de vista de los padres, esto puede ser difícil de aceptar. Para cada estudiante, la experiencia será diferente, pero los cambios suelen coincidir con los siguientes:

- mayor sensación de autonomía;
- mejores habilidades de comunicación;
- mayor capacidad para relacionarse con los demás;
- mayor capacidad de adaptación;
- mayor aceptación de la diversidad;
- más paciencia;
- mejores habilidades diplomáticas;
- valores fundamentales fortalecidos o reforzados, y
- un fuerte deseo de volver a viajar al extranjero.

Así como su hijo ha cambiado, también ha cambiado su relación con los demás, incluso con usted. Esto puede resultar difícil para ambos, así que no deje de apoyarlo, y una vez más, escuche a su hijo. Al principio, a su hijo podría resultarle difícil expresar lo que le ocurre, por lo que usted debería darle tiempo para que lo haga. Volver a adaptarse exige tiempo y las mismas habilidades y actitud con que se desenvolvió en el extranjero, porque el choque cultural ahora será a la inversa.

Entender que el choque cultural inverso es real

Los expertos coinciden en que, en realidad, el choque cultural inverso presenta más dificultades que el choque cultural que suele provocar el hecho de viajar al extranjero. Durante el proceso de choque cultural inverso, su hijo se siente fuera de lugar en su propio país. Esa sensación tiende a generar mayor desorientación que sentirse fuera de lugar en otro país, donde efectivamente, uno está fuera de lugar. Como ocurre con el choque cultural natural que describimos en el Capítulo 6, su hijo pasará por las mismas etapas: lo fabuloso se torna frustrante, y vuelve a un estado normal durante la etapa de recuperación. La recuperación se da cuando su hijo encuentra un nuevo nicho y aprende a integrar su experiencia de estudio en el extranjero con su vida después del viaje.

Es muy probable que el programa o la universidad de su hijo cuente con algunos recursos para ayudar al estudiante a superar el choque cultural inverso, pero no deposite toda la responsabilidad en ellos. Aliente a su hijo a buscar formas de superar el choque por su cuenta. Como padre, es posible que no pueda ayudarlo de manera directa a sortear el proceso, pero sí puede hacerlo indirectamente, incentivándolo para que haga lo siguiente:

- **Compartir anécdotas.** Mientras mejor pueda contar su hijo una buena anécdota sobre su estadía en otro país (cualquier anécdota que capte la experiencia de manera sencilla, atractiva y dinámica), mejor podrá conectarse con las personas que lo escuchen: amigos, otros familiares, compañeros de habitación, o incluso posibles empleadores. Anime a su hijo a reflexionar sobre la manera en que ha cambiado gracias a la experiencia, y lo que implica ese cambio a nivel personal e intelectual.

- **Hablar con personas que hayan vivido experiencias similares.** Su hijo querrá mantenerse en contacto con los amigos que ha hecho en el extranjero para revivir experiencias compartidas y volver a conectarse con aquellos momentos tan especiales. Además, en el campus (o si pregunta a sus amigos) puede buscar a otros estudiantes que hayan regresado hace poco para hablar sobre sus experiencias, cómo se están adaptando, y si perciben que su lugar de origen ha cambiado. La escucha empática de los demás es de gran ayuda a la hora de sortear el choque cultural inverso.

- **Buscar en casa una auténtica cultura internacional.** Su hijo vivió inmerso en otra cultura durante semanas, si no meses, y probablemente añore determinados aspectos de esa cultura, como la comida, la música, el idioma o la gente. Ayúdelo a conectarse con los elementos locales de esa cultura. ¡Y disfrute con él!

- **Continuar aprendiendo el idioma.** Si uno de los motivos por los que su hijo fue a estudiar al extranjero era aprender o mejorar un segundo idioma, no permita que su avance se atrofie. Es necesario practicar todos los días un idioma para no olvidarlo. Por lo general, podrá practicarlo en clubes, campus o clases, en grupos de conversación o aplicaciones en línea, con estudiantes de otros países o en vecindarios de inmigrantes, o a través de elementos culturales como películas, libros y música.

- **Documentar los recuerdos.** Probablemente su hijo tenga muchas fotos y toda clase de recuerdos de su estadía fuera del país. Ayúdelo a descubrir la mejor forma de recopilar toda esa experiencia: quizás puedan usar un álbum de fotos digital, un video, un blog, o hasta un gran póster con fotos, pasajes y citas. Su hijo se beneficiará más si tiene los recuerdos de su experiencia.

- **Seguir pensando de manera global.** Puede que su hijo se frustre ante la falta de interés que los demás puedan tener en el pensamiento global; tal vez Estados Unidos lo decepcione y le genere muchas ganas de volver a viajar al exterior. En esta nueva etapa, aliente a su hijo a incorporar de la mejor forma posible su experiencia en el extranjero con su nueva forma de ser, y a empezar a fundir esa experiencia con el próximo capítulo de su vida.

- **Compartir la experiencia en el campus y en la antigua escuela secundaria.** Su hijo puede ayudar a otras personas que deseen estudiar fuera del país, oficiando como un ejemplo a seguir y asesorando a otros estudiantes. De regreso al campus, puede ser voluntario como exparticipante en orientaciones; una vez que regrese a su lugar de origen, puede hacer una visita especial a su ex preparatoria. Invitar a un estudiante universitario que vuelva y hable con los alumnos de preparatoria puede ser un incentivo muy productivo.

Desarrollar la experiencia global dentro y fuera del campus

Una vez que su hijo regrese a casa, la experiencia, en parte, habrá terminado (por ahora). No obstante ello, el aprendizaje y el crecimiento pueden (y deben) continuar. Primero y principal, su hijo puede aprovechar su incipiente calidad de "ciudadano del mundo" continuando con el desarrollo de su conciencia global y su competencia intercultural. Esto significa seguir explorando y experimentando intereses, gustos, ideas y estilos académicos y personales, ya sean nuevos o ampliados. Aliente a su hijo a sacar provecho de las oportunidades que surjan (dentro o fuera del campus) para incorporar a su vida más experiencias y recursos internacionales. De esa manera, su hijo aprenderá y vivirá experiencias nuevas y enriquecedoras. Asimismo, demostrará a sus posibles empleadores que el tiempo que pasó fuera del país no fue solo otro curso de facultad que dejó de lado apenas presentó el examen final, sino el comienzo de un largo programa de estudio personal e independiente. A continuación, ofrecemos algunos ejemplos de cómo puede involucrarse su hijo:

- Afiliarse a grupos globales del campus.
- Acercarse a organizaciones comunitarias.
- Disfrutar de comida, música, películas y arte de otros países.
- Seguir buscando hacer amigos de todas partes del mundo.
- Viajar al extranjero durante las vacaciones.

Aprovechar la experiencia de estudio en el extranjero

Ahora su hijo pertenece a un pequeño grupo de estudiantes (menos del 10 %) que cuenta con experiencia internacional antes de graduarse. En el mercado, esta experiencia funciona como un verdadero factor de diferenciación. A la hora de buscar empleo, uno de los peores errores que suele cometer el estudiante que viajó al extranjero consiste en no incorporar todo su aprendizaje global al material que presenta al posible empleador. Muchas veces, esa información aparece en apenas una línea al pie del currículum, en lugar de desatacarla como una verdadera ventaja. Incluso si a su hijo no le interesa obtener un empleo global, la experiencia de haber estudiado en el extranjero puede ser una herramienta muy útil y productiva. En el mercado laboral de hoy en día, la experiencia global es más importante que nunca.

Identificar lo que se aprendió y las habilidades que se desarrollaron

A fin de aprovechar al máximo su experiencia de estudio en otro país, su hijo tendrá que ser capaz de expresar su crecimiento en palabras. Muchos estudiantes regresan del extranjero haciendo hincapié en que "¡Fue la mejor experiencia de mi vida!". Sin embargo, no logran explicar el motivo o la manera en que los afectó esa experiencia. Apenas regrese su hijo, aconséjele que exprese de la forma más precisa posible cómo ha cambiado. Pídale que se esfuerce por identificar las habilidades adquiridas que podrían ayudarlo a buscar empleo y ser relevantes para sus logros profesionales a largo plazo.

Incorporar la experiencia de estudio en el extranjero al material de búsqueda de empleo

Las empresas buscan graduados con habilidades internacionales, y haber estudiado en el extranjero es una de las mejores formas de demostrar que se tiene una visión global. Aliente a su hijo a destacar su competencia intercultural en el currículum, en la carta de presentación y durante la entrevista laboral. Parte de la preparación para las entrevistas laborales puede consistir en consultar el diario del viaje y reflexionar sobre las charlas que haya tenido con usted sobre su crecimiento y aprendizaje.

En cuanto al currículum, su hijo debe asegurarse de incluir tanto sus aptitudes interculturales como sus habilidades internacionales. Puede presentarlas de dos formas. En primer lugar, puede incluir una o dos oraciones descriptivas de su experiencia de estudio en el extranjero para contar dónde, cuándo y qué área eligió estudiar, además de lo que aprendió en general. En segundo lugar, puede engrosar su currículum incluyendo "habilidades básicas" relacionadas con la competencia intercultural, como flexibilidad, comunicación, capacidad de relacionarse y curiosidad. Además, si su hijo estudió otro idioma en el país anfitrión, es importante destacar bien ese dato.

Durante la preparación para una entrevista laboral, indíquele a su hijo que ensaye una respuesta a la pregunta: "Cuénteme sobre su experiencia de estudio en el extranjero". Nuevamente, la respuesta no debería ser: "¡Fue la mejor experiencia de mi vida!". Por el contrario, debería contar con fundamento y responder a por qué viajó, qué aprendió, y de qué manera las habilidades que adquirió su hijo se pueden aplicar al puesto de trabajo en cuestión. También recuérdele a su hijo que ensaye la manera de integrar algunas de las lecciones que aprendió en el extranjero a las respuestas que dará durante la entrevista.

Establecer contactos es un aspecto importante de toda búsqueda laboral. Aliente a su hijo a conservar las relaciones que forjó en el extranjero, y a hacer nuevos contactos ahora que regresó a Estados Unidos. Nunca se sabe la utilidad que podrían tener esos contactos.

Ahora que su hijo sabe lo que es vivir en otro país, es posible que quiera repetir la experiencia. Algunos estudiantes se toman un año sabático después de graduarse de la facultad, para poder viajar, trabajar como voluntarios, o enseñar inglés en otro país. Mientras que muchos cursan estudios de posgrado en el exterior, otros deciden incorporarse a organizaciones de servicios globales, como Cuerpo de Paz. Motive a su hijo para que recorra los caminos que más le apasionen. Con la globalización al alcance de la mano, mientras más experiencia internacional adquiera su hijo, mejor preparado estará para competir en la economía global y resolver problemas globales a través del diálogo y la colaboración internacional.

Biografías de los autores

Stacie Nevadomski Berdan | Stacie Nevadomski Berdan es una ejecutiva con vasta experiencia internacional, experta en carreras internacionales, y autora galardonada cuyas obras se centran en cómo triunfar en el mercado global. La mayor parte de su carrera se desarrolló en Burson-Marsteller y Unilever, donde trabajó como directora de estrategias, instructora y asesora de directores ejecutivos, políticos y ejecutivos superiores de todas partes del mundo. Su vasta experiencia de liderazgo global en comunicaciones corporativas y marketing, asuntos públicos, comunicación organizacional y consultoría intercultural abarca los cuatro continentes y se centra, sobre todo, en Asia.

Stacie se vale de su experiencia comercial a nivel internacional para difundir la necesidad de fomentar la conciencia global y la competencia intercultural para todos a través de sus libros, participación en los medios, artículos de opinión y charlas que ofrece en todo el país. Su último libro, *Raising Global Children*, que combina consejos y promoción de la educación de los hijos, fue el primero en su tipo en explicar minuciosamente qué implica educar a "niños globales", por qué es fundamental adquirir conciencia global, y cómo se puede desarrollar una visión global en los niños de hoy en día. Sus dos primeros libros, *Go Global! Launching an International Career Here or Abroad* y *Get Ahead By Going Abroad: A Woman's Guide to Fast-Track Career Success* son las guías de consulta obligada para todo aquel que quiera desarrollar una carrera internacional. Stacie ha participado en numerosas ocasiones en programas y medios como "Today Show" de la NBC, "Marketplace" de NPR, ABC News, CNN y FOX. Asimismo, ha colaborado con *The New York Times, Wall Street Journal, USA Today, Chronicle of Higher Education, Huffington Post, Forbes* y *Time*. **stacieberdan.com**

William L. Gertz | Desde 2005, William L. Gertz ha sido presidente y director ejecutivo de American Institute For Foreign Study (AIFS), una de las organizaciones más importantes en el área del intercambio cultural y educativo. Con más de 30 años de experiencia en educación internacional, el señor Gertz ha llevado a cabo muchas iniciativas que han sido fundamentales para el crecimiento y la dirección de la compañía, la cual le debe su trayectoria de éxito hasta el día de hoy inclusive. Actualmente, AIFS College Study Abroad permite que 5000 estudiantes por año viajen a más de 20 países de todo el mundo. Cada año, participan alrededor de 40,000 estudiantes en los programas educativos AIFS de todo el mundo, los cuales abarcan Au Pair in America, Camp America, Academic Year in America, Summer Institute for the Gifted, Cultural Insurance Services International, American Council for International Studies, y College Study Abroad. Durante la gestión del señor

Gertz, AIFS obtuvo el cuarto puesto en la lista de los mejores lugares para trabajar en Connecticut, correspondiente a medianas empresas, según Workplace Dynamics y Hearst Newspapers. William Gertz es vicepresidente de la Junta Directiva de AIFS, y fideicomiso de la Junta de la Fundación AIFS.

Además de su trabajo como presidente y director ejecutivo de AIFS, el señor Gertz ha escrito varios artículos para publicaciones educativas, entre ellas, la revista *IIENetworker* y *Youth Travel International*. También se desempeña en el campo de la formación de talentos como síndico de la organización sin fines de lucro National Society for the Gifted and Talented (Sociedad Nacional para Niños Dotados y con Talentos); antes trabajó para la Junta de Estudiantes Dotados y con Talentos del Estado de Connecticut. Asimismo, William Gertz fue miembro del Comité para el Desarrollo de la Association of International Educators (NAFSA, Asociación de Educadores Internacionales), y actualmente es miembro de la Junta Directiva de Alliance for International Educational & Cultural Exchange (Alianza para el Intercambio Educativo y Cultural Internacional). En 2010, Gertz organizó en Washington DC el taller "La diversidad en la educación internacional", y en mayo de 2014, recibió un doctorado *honoris causa* en Relaciones Internacionales de Richmond, The American International University de Londres.

Allan E. Goodman | El Dr. Allan E. Goodman es el sexto presidente del Institute of International Education (IIE), la organización sin fines de lucro líder en el campo del intercambio educativo internacional y la formación para el desarrollo. IIE dirige investigaciones en materia de movilidad académica internacional, además de administrar 250 programas de becas y capacitación que cuentan con el patrocinio del gobierno o financiación privada. Anteriormente, el Dr. Goodman fue decano ejecutivo de School of Foreign Service (la Escuela de Servicio Exterior) y profesor en la Universidad de Georgetown. Ha escrito libros sobre asuntos internacionales, cuya publicación estuvo a cargo de las universidades de Harvard, Princeton y Yale.

El Dr. Goodman fue el primer profesor estadounidense que dio una conferencia en la Facultad de Asuntos Exteriores de Pekín, ayudó a crear el primer programa estadounidense de intercambio académico con la Academia Diplomática de Moscú para la Asociación de Universidades de Asuntos Internacionales, y desarrolló el programa de formación diplomática del Ministerio de Asuntos Exteriores de Vietnam. Es miembro del Consejo de Relaciones Exteriores, miembro fundador de World Innovation Summit for Education (WISE, la Cumbre Mundial para la Innovación en Educación), copresidente de Partner University Fund (PUF, el Comité de Revisión de Subsidios del Fondo para Universidades Asociadas), miembro del Programa de Becas de Investigación para Asuntos Exteriores Thomas R. Pickering, y miembro de los grupos de selección para las Becas Jefferson. El Dr. Goodman tiene un doctorado en

Gobierno de Harvard, una maestría de la Escuela de Gobierno John F. Kennedy, y una licenciatura de la Universidad Northwestern, además de numerosos títulos honoríficos y la *Légion d'honneur* de Francia. En mayo de 2012, recibió la primera medalla Gilbert a la internacionalización que le otorgara Universitas 21.

Acerca de los editores

Institute of International Education (IIE) | El Institute of International Education, fundado en 1919, es líder mundial en el intercambio de personas e ideas. El IIE cuenta con una red de 18 oficinas en todo el mundo, además de 1,400 facultades y universidades miembro. En colaboración con gobiernos, fundaciones corporativas y privadas, y otros patrocinadores, el IIE diseña e implementa programas de estudio y capacitación para estudiantes, docentes, profesionales jóvenes y aprendices de todos los sectores, gracias a la financiación del gobierno y a fondos privados. Estos programas incluyen las becas de investigación Fulbright y Humphrey, así como las becas Gilman, que administra el Departamento de Estado de EE. UU.. Asimismo, dichos programas abarcan las becas de estudio y de investigación Boren patrocinadas por el Programa de Educación sobre la Seguridad Nacional. El IIE también brinda asesoramiento y orientación sobre educación internacional, y realiza investigación en materia de políticas. Algunas publicaciones del IIE son *Open Doors Report on International Educational Exchange*, obra patrocinada por la Oficina de Asuntos Educativos y Culturales del Departamento de Estado de EE. UU., así como *Funding for United States Study*, y las versiones impresa y en línea de *IIEPassport: The Complete Guide to Study Abroad Programs*, además del sitio web StudyAbroadFunding.org. **www.iie.org**

American Institute For Foreign Study (AIFS) | Fundado en 1964, el American Institute For Foreign Study es una de las organizaciones de intercambio internacional más grandes y con mayor experiencia del mundo. Cuenta con oficinas en cinco países, y todos los años organiza programas de intercambio cultural para más de 30,000 participantes. Los programas AIFS incluyen estudios en facultades del extranjero, colocación au pair, contratación para campamentos internacionales, formación de talentos, servicios de viajes y seguros para estudiantes secundarios. Más de un millón y medio de estudiantes y docentes han participado de los programas AIFS en todo el mundo. Cada año, el AIFS otorga más de $600,000 en becas y subsidios. En colaboración con 23 universidades en 19 países, la División Facultades del AIFS organiza, de forma anual, programas de estudios en el extranjero para más de 5,000 estudiantes de EE. UU. durante el semestre, el año académico, el verano y el período de enero. El AIFS trabaja en estrecha colaboración con más de 500 facultades y universidades de Estados Unidos para que los estudiantes y facultades tengan una excelente experiencia educativa en otro país. **www.aifs.com**

El American Institute For Foreign Study (AIFS), organización benéfica de carácter público 501(c)(3), independiente, sin fines de lucro y exenta de impuestos, se estableció en 1967 con la asistencia del difunto senador Robert Kennedy. Su misión era contribuir al mutuo entendimiento entre jóvenes de muchos países y diversas culturas. La Fundación AIFS otorga subsidios a escuelas secundarias, estudiantes e instituciones con el fin de promover los viajes educativos internacionales. Además, la Fundación AIFS patrocina el programa Academic Year in America (AYA), gracias al cual más de 1,000 alumnos adolescentes de todo el mundo pueden vivir un semestre o un año académico completo con una familia estadounidense, mientras asisten a una escuela local. www.aifsfoundation.org

Recursos web del IIE

GENERATION STUDY ABROAD™
Generation Study Abroad es una iniciativa del IIE con cinco años trayectoria, cuyo objetivo es duplicar, para fines de esta década, la cantidad de alumnos universitarios estadounidenses que van a estudiar al extranjero. El IIE busca de manera activa contar con nuevos socios y recursos para alcanzar esta meta.
SITIO WEB: www.generationstudyabroad.org

IIEPASSPORT.ORG
Este motor de búsqueda en línea gratuito enumera alrededor de 10,000 programas de estudios en todos los países del mundo, y ofrece a los asesores diversas herramientas prácticas para orientar a los alumnos y promover el estudio en otro país.
SITIO WEB: www.iiepassport.org

STUDY ABROAD FUNDING
Constituye un valioso recurso que ayuda a los estudiantes de EE. UU. a encontrar asistencia económica para estudiar en el extranjero.
SITIO WEB: www.studyabroadfunding.org

FUNDING FOR UNITED STATES STUDY
Este directorio ofrece la información más relevante sobre cientos de becas, subsidios, pasantías pagas y becas para estudiar en Estados Unidos.
SITIO WEB: www.fundingusstudy.org

INTENSIVE ENGLISH USA
Información de referencia completa con más de 500 programas de inglés acreditados en Estados Unidos.
SITIO WEB: www.intensiveenglishusa.org

PROGRAMA INTERNACIONAL DE BECAS BENJAMIN A. GILMAN

Las becas Gilman están dirigidas a estudiantes de facultades o universidades de dos o cuatro años de EE. UU., que necesiten una importante ayuda económica para estudiar o hacer una pasantía en el extranjero, a fin de obtener créditos académicos. Los subsidios se otorgan para los períodos de otoño, primavera, y para el año académico, y son por $5,000 o $8,000 para estudiantes con necesidad crítica de estudiar un idioma.

PATROCINADOR: Oficina de Asuntos Educativos y Culturales del Departamento de Estado de EE. UU.

SITIO WEB: www.iie.org/gilman

BECAS DE ESTUDIO Y DE INVESTIGACIÓN BOREN

Se financian a estudiantes universitarios y graduados de EE. UU. para el estudio de idiomas que se enseñan con menor frecuencia en regiones críticas para los intereses de EE. UU.: África, Asia, Europa central y oriental, Eurasia, América Latina, y Medio Oriente. Se otorgan hasta $20,000 a estudiantes universitarios, y $30,000 a graduados. Los beneficiarios se comprometen a trabajar para el gobierno federal durante, por lo menos, un año después de graduarse.

PATROCINADOR: Programa de Educación sobre la Seguridad Nacional (NSEP)

SITIO WEB: www.borenawards.org

Programas de la Fundación AIFS

La Fundación AIFS

La misión de la Fundación AIFS es brindar oportunidades de intercambio cultural y educativo para fomentar el mayor entendimiento entre los pueblos del mundo. Busca cumplir esta misión mediante la generación de oportunidades educativas de excelencia para los estudiantes, y el otorgamiento de subsidios a alumnos e instituciones que deseen participar en programas educativos de enriquecimiento cultural.

SITIO WEB: www.aifsfoundation.org

ACADEMIC YEAR IN AMERICA (AYA)

Cada año, AYA trae a Estados Unidos a unos 1,000 estudiantes de preparatoria de todo el mundo. Los jóvenes llegan a nuestro país para cursar el año académico. Los estudiantes viven con familias estadounidenses y asisten a escuelas secundarias locales, donde aprenden sobre la cultura de EE. UU., y comparten sus propios idiomas y costumbres con las familias que los reciben.

SITIO WEB: www.academicyear.org

PROGRAMA FUTURE LEADERS EXCHANGE (FLEX)

Establecido en 1992 en virtud de la Ley FREEDOM, y administrado por la Oficina de Asuntos Educativos y Culturales del Departamento de Estado de EE. UU., el FLEX fomenta la paz duradera y el entendimiento mutuo entre Estados Unidos y los países de Eurasia.

PROGRAMA YOUTH EXCHANGE AND STUDY (YES)

Desde 2002, gracias a este programa de intercambio para estudiantes preparatoria del Departamento de Estado de EE. UU., muchos jóvenes, en su mayoría de países musulmanes, aprenden sobre la sociedad y los valores estadounidenses, desarrollan su capacidad de liderazgo, y enseñan a los estadounidenses sobre sus países y culturas.

Programas del American Institute For Foreign Study

PROGRAMA FUTURE LEADERS EXCHANGE (FLEX)

La misión del AIFS es enriquecer la vida de los jóvenes de todo el mundo ofreciéndoles programas de intercambio educativo y cultural de excelencia.

SITIO WEB: www.aifs.com

COLLEGE STUDY ABROAD DEL AIFS

El AIFS es un proveedor líder de programas de estudios en el extranjero para universitarios. Los alumnos pueden estudiar durante un verano, un semestre o un año académico completo en 17 países. También se ofrecen programas a medida dirigidos por docentes.

SITIO WEB: www.aifsabroad.com

AMERICAN COUNCIL FOR INTERNATIONAL STUDIES (ACIS, CONSEJO ESTADOUNIDENSE PARA ESTUDIOS INTERNACIONALES)

Durante más de 30 años, el ACIS ha ayudado a alumnos y docentes a descubrir el mundo viajando y recibiendo educación de excelencia. Los docentes pueden elegir diversos destinos de Europa, América y Asia.

SITIO WEB: www.acis.com

AU PAIR IN AMERICA

Au Pair in America permite a casi 4,000 adultos jóvenes entusiastas y preparados de todo el mundo integrarse a familias estadounidenses y ocuparse del cuidado de sus hijos durante una experiencia de intercambio cultural que dura un año, y que resulta mutuamente gratificante.

SITIO WEB: www.aupairinamerica.com

CAMP AMERICA

Todos los veranos, Camp America trae a Estados Unidos a unos 6,000 jóvenes de todo el mundo para trabajar como guías e integrantes del personal de campamentos.

SITIO WEB: www.campamerica.aifs.com

CULTURAL INSURANCE SERVICES INTERNATIONAL (CISI)

CISI es la principal compañía aseguradora de estudiantes internacionales y jóvenes que estudian en otro país. Desde 1992, CISI ha asegurado a más de 1 millón de estudiantes internacionales y participantes de intercambios culturales de todo el mundo.

SITIO WEB: www.culturalinsurance.com

SUMMER INSTITUTE FOR THE GIFTED (SIG)
SIG es un programa académico, recreativo y social de verano que dura tres semanas y está destinado a niños dotados y talentosos. Los estudiantes de todo el mundo de los grados 4 a 11 pueden participar en los programas residenciales SIG que se ofrecen en campus universitarios del país, entre ellos, Bryn Mawr College, Emory University, Princeton University, UC Berkeley, UCLA, Universidad de Chicago, Universidad de Miami, Vassar College, y Yale University. También se ofrecen programas de un día, de tiempo parcial, en línea y los días sábados. SIG es gestionado por la National Society for the Gifted and the Talented (NSGT), organización sin fines de lucro 501(c)3.

SITIO WEB: www.giftedstudy.org

Información y recursos de AIFS

Puede descargar los siguientes recursos de
www.aifsabroad.com/advisors/publications.asp

- Student Guide to Study Abroad and Career Development
- Diversity in International Education Summary Report
- The Gender Gap in Post-Secondary Study Abroad: Understanding and Marketing to Male Students
- Study Abroad: A 21st Century Perspective, Vol I
- Study Abroad: A 21st Century Perspective, Vol II: The Changing Landscape
- Innocents at Home Redux—The Continuing Challenge to America's Future
- Impact on Education Abroad on Career Development, Vol. I
- Impact on Education Abroad on Career Development: Four Community College Case Studies, Vol. II

La *Guía para padres sobre estudios en el extranjero* es un complemento de la *Guía del estudiante para estudiar en el extranjero*, un recurso práctico con 100 consejos útiles y docenas de historias reales. Cada capítulo contiene citas y anécdotas útiles de diversos estudiantes, asesores y profesionales. Al igual que la guía para padres, la *Guía del estudiante para estudiar en el extranjero* aborda todos los aspectos de un viaje de estudios en el extranjero, lo que incluye qué debe hacer el estudiante antes de partir, durante su estadía en otro país, y al regreso a su país de origen. Las dos guías están disponibles en **www.iie.org/publications** (se ofrecen descuentos por volumen).